Le sanglot des anges

des

anges

Tome II — Le Tueur
de la Belle
au bois dormant

Le sanglot des anges

Tome II

Le Tueur de la Belle au bois dormant

Barels
Roman policier

PHILIPPE RIBOTY

Riboty, Philippe, 1964-

Le sanglot des anges

Sommaire : 1. Le Tueur de la 495 -- 2. Le Tueur de la Belle au bois dormant -- 3. Le Tueur à la casquette rouge.

ISBN 978-2-922592-07-8 (série)
ISBN 978-2-922592-13-9 (v.1)
ISBN 978-2-922592-14-6 (v.2)
ISBN 978-2-922592-15-3 (v.3)

Les éditions Barels
698, rue Saint-Jean, C.P. 70007
Québec, Québec G1R 6B1
CANADA
Téléphone : 418 522-3400
Télécopieur : 418 522-3400
E-mail : info@barels.ca
Site web : www.barels.ca

Marquis imprimeur inc.

Québec, Canada

Révision linguistique en français international
Margo Vitrac, La boîte à virgules, 87510 Saint-Jouvent, France

Imprimé au Canada

*La maturité est
la perte de ses croyances*

1

Dimanche soir, dans une ferme en périphérie de Rio de Janeiro, Brésil…

Sous la faible lueur d'une petite lampe, Julio Esteves, affalé dans son fauteuil, écoute les nouvelles télévisées, une bouteille de *cachaça* dans une main et un verre dans l'autre. Il remplit son verre et l'avale d'une seule gorgée.

Le présentateur poursuit son bulletin d'une voix grave.

— Une seconde jeune fille vient tout juste d'être portée disparue dans Rocinha, le quartier chaud de Rio. Il s'agit de Juanita Gomes, 12 ans…

Ému, Julio soulève légèrement ses fesses et éteint le téléviseur. Puis il se renfonce dans son fauteuil et se verse maladroitement une nouvelle rasade de *cachaça*. Mais ses mains tremblent tant qu'il en répand plus sur son pantalon qu'il n'en verse dans son verre. Soudain, une voix surgit de la pénombre.

— *Noite boa*, Julio.

Julio ferme les yeux. Une larme jaillit de son œil droit et se mêle à l'abondante sueur qui ruisselle sur son visage.

— J'ai fait exactement ce que vous m'avez demandé *senhor*... elles sont là.

Ce disant, il pointe un vieux coffre en bois autour duquel s'activent une nuée de mouches. L'étranger s'avance en fredonnant doucement. Subitement, d'un violent coup de pied, il fait sauter le couvercle, dévoilant ainsi son macabre contenu. Les corps de deux fillettes y gisent, entremêlés. L'une affiche une mine effrayée qui semble quémander désespérément de l'aide et l'autre, au contraire, présente un air serein, comme délivrée enfin d'un terrible calvaire. Julio laisse tomber bouteille et verre, se jette aux genoux de son interlocuteur et lui enlace les mollets.

— Elles étaient si belles, si douces. Elles ne cessaient de pleurer et de me supplier de les laisser partir. Je ne pouvais plus supporter leurs corps qui gigotaient sans arrêt. Comprenez-moi. La prochaine fois... la prochaine fois, je ferai comme il a été convenu. Pitié! Pitié! Je vous en prie, je n'y pouvais rien! Je suis faible! Si faible! Si faible...

Le visiteur pose sa main sur la tête de Julio qui fond en pleurs.

— Dans une boîte, j'aurais pu comprendre, nues, va toujours, mais dans cet état... Vous n'avez pas respecté votre engagement.

Julio se ressaisit. Il lâche les jambes du visiteur, sèche ses larmes du revers de la main et redresse légèrement la tête en geignant.

— Je ne le ferai plus. On repart à zéro, d'accord ?

L'étranger lui saisit la tête à deux mains et, sans crier gare, lui passe une jambe derrière le dos et comprime sa cage thoracique entre ses cuisses. Puis il lui brise net le cou avant de relâcher son étreinte. Le corps mou de Julio s'écrase lourdement sur le sol. Dans sa chute, sa main repousse la jupe du fauteuil et termine sa course à quelques centimètres d'un revolver qu'il y avait dissimulé.

2

Lundi à l'aube, dans une salle de tir du FBI à Quantico, Virginie...

Une main droite survole une tablette et empoigne par la crosse un revolver chargé à bloc. Sa propriétaire pointe l'arme droit devant elle, le bras bien tendu. Elle place son poing serré en appui dans sa main gauche et crispe son doigt sur la gâchette. Le terrifiant canon de métal crache toutes les cartouches du barillet dans un fracas assourdissant. La tireuse continue pourtant de s'acharner sur la détente. Le claquement du percuteur résonne dans la salle et alerte un officier qui accourt en hurlant.

— Que faites-vous, Jarvis ?

Arrachée brusquement de ses pensées, la jeune recrue du FBI, Nicole Jarvis, sursaute, baisse son arme et retire ses protecteurs. Elle aimerait bien lui crier de se mêler de ses affaires, qu'elle est fatiguée et qu'elle n'a pas fermé l'œil du week-end. Car c'est elle qui a recommandé à Craig Jamison, directeur du Département d'enquêtes sur les crimes violents, de faire débarquer le SWAT chez le sénateur Bighter samedi soir. Depuis, Jamison ne lui a plus adressé la parole. Elle n'a eu droit qu'à un message de sa secrétaire la sommant de se présenter sans faute à son bureau le lundi suivant, à huit heures précises. Reprenant ses esprits, elle répond à l'officier d'une petite voix désarmante, pour bien démontrer son repentir.

— J'ai voulu essayer un tir groupé à grande vitesse. Désolée.

Sans la quitter des yeux, l'officier appuie sur le bouton de commande pour rapprocher la cible.

— Très beau coup ! Vous les avez toutes regroupées dans la région du cœur. Bravo !

*

* *

Le jeune stagiaire du FBI, Simon Seward, est assis sur le bout d'une chaise, à la gauche de la porte du bureau de Jamison. Anxieux, il jette un coup d'œil à sa montre. Elle indique huit heures moins cinq. Il lève les yeux et voit Jarvis apparaître à l'autre extrémité du couloir. Il secoue la tête et baisse les yeux. Jarvis l'aperçoit au même moment. Elle s'immobilise un instant, puis continue d'avancer sans même un regard pour son collègue. Elle passe devant lui et s'arrête devant le bureau de la secrétaire de Jamison.

— Bonjour, Madame. Je m'appelle Nicole Jarvis. J'ai rendez-vous avec Monsieur Jamison.

— Bien sûr, je vais vous annoncer.

La secrétaire saisit le téléphone et sélectionne la ligne directe.

— Mademoiselle Nicole Jarvis est ici, Monsieur… Très bien. – Elle raccroche aussitôt. – Asseyez-vous, Mademoiselle. Monsieur Jamison va vous recevoir dans quelques minutes.

Jarvis se dirige vers la rangée de chaises face à Seward et en choisit une située légèrement de biais avec son collègue. Leurs regards se croisent, puis se fuient. Seward consulte sa montre de nouveau. Elle indique huit heures. Un coursier apparaît au bout du couloir, portant une épaisse enveloppe brune. Il passe entre les deux antagonistes et remet l'enveloppe à la secrétaire avant de quitter les lieux. La secrétaire se lève et frappe à la porte du bureau de son patron. Sans attendre d'y être invitée, elle entre et prend bien soin de refermer derrière elle. Seward et Jarvis se mettent aussitôt à s'engueuler.

— Je n'aurais jamais dû t'écouter ! Tu n'as pas le moindre jugement, hurle Jarvis en pointant Seward du doigt.

— Tu n'avais pas à en parler à Jamison, tu m'avais dit que tu viendrais seule…

Les deux adversaires entendent alors tourner la poignée de la porte du bureau de Jamison et se taisent aussitôt. Un calme trompeur succède à l'atmosphère de rixe qui sévissait. La secrétaire sort de la pièce et regagne son poste de travail. Stoïques, les deux agents se contentent de se regarder en chiens de faïence.

Cinq minutes passent, puis dix. Soudain, les deux agents voient Castelli s'avancer vers eux. Ils se lèvent à l'unisson pour le saluer. Castelli les salue à son tour, adresse un sourire à la secrétaire et, sans plus de cérémonie, se dirige vers le bureau de Jamison. Il frappe deux coups, entre sans attendre qu'on l'y convie et referme la porte derrière lui.

Vingt minutes plus tard, Castelli passe la tête dans l'entrebâillement de la porte et fait signe aux deux jeunes gens d'entrer. D'un geste, il les invite à s'asseoir devant le bureau de Jamison et s'installe un peu en retrait, derrière une table ovale. Jamison semble soucieux. Il est totalement concentré sur un document à en-tête du Sénat. Enfin, il glisse le document dans son enveloppe et regarde un moment les deux stagiaires avant de prendre la parole.

— J'ai beaucoup pensé à vous ces deux derniers jours… J'ai envoyé une équipe recueillir les témoignages des employés du supermarché. Les officiers leur ont montré une série de photos, y compris celle de Neumann, mais pas un seul n'a pu l'identifier formellement.

Jamison observe la réaction de Seward en silence. Ce dernier meurt d'envie de se lever d'un bond et de hurler : *Il était bien là, je l'ai vu comme je vous vois !* Mais il contient sa rage, car il comprend que Jamison est en train de le tester. Voyant qu'il n'obtient pas de réaction, Jamison poursuit.

— Cependant, plus de la moitié des gens interrogés ont assisté à votre altercation et vous ont clairement identifié, ainsi que le sénateur Bighter. Parmi eux, un employé croit avoir aperçu Neumann.

Un frisson de joie envahit Seward qui ne laisse toujours rien paraître de ses états d'âme.

— Mais il a aussi pointé la photo d'un de nos agents qui a vécu en Californie et qui est décédé depuis plus de deux ans. Voilà où nous en sommes.

Seward ne peut plus se contenir et lève timidement la main, car il veut éviter de brusquer Jamison qui, malgré son air calme, reste froid et distant. Jamison note le geste de Seward.

— Vous avez une question ?

— Excusez-moi, Monsieur, mais est-ce que les agents ont pensé à prendre les témoignages du sénateur Bighter, de sa femme et de sa fille, et à leur montrer une photo de Neumann ?

Scandalisée, Jarvis lui décoche un regard courroucé. Jamison, au contraire, est agréablement surpris que Seward le questionne sur l'enquête en cours plutôt que sur son avenir ou sur la raison de sa convocation au Bureau. En parallèle, il constate que Jarvis ne lui a pas adressé la parole depuis les évènements de samedi soir, ce qui l'embarrasse grandement.

— Je vois que vous n'êtes pas au courant, répond-il en lançant un regard réprobateur à Jarvis. Le sénateur Bighter n'est malheureusement plus en mesure de nous aider depuis ce qui lui est arrivé après notre départ l'autre soir. Nous avions à peine quitté les lieux quand le 911 a reçu un appel pour une demande d'ambulance au domicile du sénateur. Nous avons immédiatement fait demi-tour...

*
* *

Le samedi soir précédent, à la résidence du sénateur Bighter… des hommes-araignées défoncent les fenêtres du 2ᵉ étage…

— Mains en l'air, à genoux et face contre terre !

Le même ordre résonne dans toutes les pièces. La femme du sénateur, qui est en train de se démaquiller, hurle d'épouvante pendant que le sénateur est cloué au sol dans le salon, une botte sur sa tête. Il est toujours allongé quand il aperçoit Jamison sur le perron. Son visage passe du rouge au vert et ses yeux lui sortent des orbites. Il tente de l'appeler, mais le poids de la botte lui colle le visage au plancher. Il ne peut que proférer de vagues syllabes.

— Jimizen ! Jimizen !

Jamison est estomaqué. Il se retourne et voit apparaître Jarvis, essoufflée. Il vrille son regard dans le sien. Le chef de l'équipe tactique sort de la cuisine et s'approche de Jamison.

— C'est votre homme ? Il n'y a personne d'autre ici, à part une femme et une petite fille en larmes. Nous maîtrisons les lieux, il n'y a rien à signaler dans les environs, Monsieur !

Jamison est pétrifié, mais il reprend vite ses esprits. Il se précipite dans le hall, à quelques pas du sénateur maintenu au sol.

— Lâchez le sénateur ! Et aidez-le à se relever !

Bighter est fou de rage. Il se redresse péniblement et les deux hommes se retrouvent nez à nez. Le sénateur se met à hurler.

— Je vais vous faire payer ça, espèce de…

Jamison sait qu'il ne doit pas réagir aux insultes de cet homme de pouvoir, mais qu'il lui faut plutôt renverser la situation au plus vite.

— J'aurais peut-être dû laisser l'agent spécial Seward vous coffrer cet après-midi au supermarché. Mais je ne crois pas qu'il soit nécessaire de poursuivre ici cette conversation sur les raisons qui ont mené à notre intervention, surtout pas devant mes hommes, devant votre femme et encore moins devant votre enfant, lance-t-il en pointant l'escalier derrière Bighter.

Ce dernier se retourne et reste figé à la vue de sa femme qui le fustige du regard, sa petite fille en pleurs dans les bras. Jamison en profite pour faire signe à ses hommes qu'il est grand temps de déguerpir.

En moins de deux, la totalité des policiers ont vidé les lieux et ont réintégré leurs véhicules. Jamison sort de la maison et ferme doucement la porte derrière lui. La fillette en larmes s'écarte de sa mère et grimpe l'escalier à toute vitesse. Bighter esquisse un pas en avant.

— Ma…

Sa femme lève la main.

— Regarde un peu ce que tu es devenu… Si tu oses…, l'interrompt-elle en toisant son mari avec pitié et mépris avant de gravir à son tour les marches pour rejoindre sa fille.

Bighter ne veut pas accepter qu'il soit le seul responsable de son malheur et canalise sa haine meurtrière contre Jamison qu'il accuse de tous ses maux. Il serre les poings et son pouls s'accélère. Dans un mouvement de rage incontrôlable, il ouvre la porte avec fracas et se précipite sur le perron de marbre en hurlant.

— Jam...

Mais plus personne ne peut l'entendre. Jamison et ses hommes sont déjà loin. Le politicien s'élance aveuglément vers la rue, glisse et atterrit sur le coin d'une marche qui lui fend le crâne.

*
* *

De retour dans les bureaux du FBI...

Jamison poursuit.

— ... Il est sorti pieds nus peu après notre départ. Il a fait une vilaine chute et sa tête a heurté violemment le coin d'une marche en contrebas. Les ambulanciers...

— Il est mort? questionne Seward.

— Non, il s'est blessé à la tête et s'est fracturé deux vertèbres cervicales, répond Jamison en déposant sa main sur l'enveloppe devant lui. Mais il est tombé dans un coma profond. Les médecins sont incapables de prédire quand il va se réveiller, ni même s'il va se réveiller. La nouvelle ne pourra être retenue bien longtemps. Nous avons tenté d'obtenir l'aide de sa femme, mais elle n'a pas encore accepté de nous recevoir. Bien que cette opération n'ait pas porté ses fruits, nous n'avons pas grand-chose à nous reprocher, conclut Jamison en regardant Castelli, en quête d'approbation.

Le directeur marque une pause, puis interpelle le jeune policier.

— Alors Seward, votre hypothèse concernant le professeur Neumann et le mobile qui l'aurait conduit à casser le cou à tous ces gens serait fondée sur la soi-disant application de la théorie de la prédation dans la chaîne alimentaire dans le but de s'approprier les enfants ? Je n'ai jamais rien entendu de tel, c'est complètement cinglé !

Piqué au vif, Seward riposte sans attendre que son supérieur l'y invite.

— Mais, Monsieur…

Jamison le foudroie du regard et Seward ravale amèrement sa réplique. Satisfait, le chef reprend son exposé.

— Cependant, c'est justement pour coffrer des cinglés que l'État nous paye. Alors, je ne peux pas laisser passer une chance pareille. Bon ! poursuit-il en frappant ses deux mains à plat sur le bureau. Si je vous ai fait venir ici ce matin, c'est que les trois filles retrouvées la nuque brisée samedi au musée des Sorcières de Salem étaient toutes trois étudiantes à l'université de Boston et suivaient un cours de psychanalyse donné par Neumann. Encore Neumann. C'est pourquoi nous avons vérifié la liste des enfants laissés orphelins à la suite du meurtre dans les mêmes circonstances de leurs deux parents. Seule Julie Davis répond à ce scénario et réside depuis dans un des orphelinats Perkins. Et encore là, il faut faire abstraction du fait qu'on parle d'un couple de lesbiennes. Pour ce qui est du père bio-logique de la fillette, il n'a jamais joué un grand rôle parental et son nom ne figure sur aucun registre. Mais tout ça, c'est quand même ce que j'appelle de drôles de coïncidences. Vous allez donc reformer une équipe tous les deux. La tâche s'annonce longue et ardue, et il ne faut pas compter obtenir rapidement des résultats. Nous devons agir avec méthode. Ce genre d'investigation prend parfois plusieurs années et plusieurs équipes avant d'aboutir. C'est une épreuve d'endurance, pas un sprint.

Jamison s'attend à déceler de la satisfaction chez ses protégés qu'il vient de réintégrer comme équipe d'enquêtes. Mais il est surpris de constater que les deux coéquipiers évitent de se regarder et ne s'adressent pas la parole.

— Y a-t-il quelque chose que je devrais savoir qui pourrait nuire à votre association?

Ni Seward ni Jarvis ne veulent laisser passer pareille occasion, et ce, malgré leurs différends. Ils répondent donc à l'unisson.

— Non, Monsieur!

— Bien! Nous allons reprendre tout le dossier depuis le début. Quelqu'un devra se rendre à l'université de Boston interroger les étudiants.

Seward redresse la tête.

— Moi, ça me va.

— Parfait, approuve Jamison. J'ai ici la liste des élèves inscrits au cours de Neumann et le nom de Blair Dexter y figure. Cela doit sûrement vous rappeler quelque chose, Jarvis. Apparemment, il doit s'agir du même Dexter. Tout semble s'imbriquer à merveille. Vous allez nous éclaircir tout ça, Seward. De mon côté, je compile toujours l'information en fonction de l'orientation proposée par le professeur Ames, le profileur externe qui nous a dressé le dernier tableau du tueur. L'équipe formée de Bayer et de Brown continue d'éplucher les dossiers du couple Rupert et de Bill Bill, comme nous l'a recommandé le professeur, mais c'est toujours le brouillard de ce côté-là. Jarvis, vous allez fouiller dans la vie de ce Neumann, je veux savoir qui il est. Et profitez-en pour aller faire un tour du côté de ses orphelinats Perkins. Neumann en possède quatre à travers le pays, si j'ai bien compris. De ce que nous en savons, cet homme n'a aucun antécédent judiciaire. Il est célibataire, sans liaison connue et, bien qu'il soit fortuné et apparemment hétérosexuel, il n'a jamais fait l'objet de requête en pension alimentaire. On peut donc en conclure qu'il ne serait même pas un coureur de jupons. Cependant, bien qu'il ne voyage pas souvent à l'étranger, il aurait passé une quinzaine de jours cet été à Monaco, en compagnie d'une certaine Michelle Darc.

— Il s'agit de la directrice de son orphelinat au nord de Sharonneville, l'interrompt Seward. Je l'ai rencontrée la semaine dernière. Il aurait une aventure avec elle ?

— Pas exactement. Il a acheté dix billets d'avion au total, dont huit pour des enfants sous sa garde. Toutes des fillettes.

— Mais, Monsieur…

— Qu'y a-t-il, Jarvis ?

— Qu'advient-il de Bob Conway ? Je veux dire… Je l'ai suivi jusqu'à Salem avant la mort de ces pauvres filles. N'avez-vous pas soumis sa photo aux employés du supermarché ?

Jamison lui adresse un large sourire.

— Nous l'avons effectivement fait circuler parmi les employés du supermarché. Deux d'entre eux ont confirmé l'avoir aperçu, dont le gérant qui, lui, l'avait repéré au moyen de la caméra située dans son bureau, alors qu'il était en train de réaménager son équipement de télésurveillance. Il l'observait depuis un bon moment tourner en rond dans le supermarché quand son attention a été attirée vers une autre caméra montrant un homme qui brandissait une plaque du FBI en hurlant. Du coup, il a quitté son bureau pour demander à l'un de ses employés d'aller voir ce qui se passait. Par la suite, il n'a plus pensé à Conway et ne l'a pas revu.

— Mais alors, comment se fait-il qu'on ne s'intéresse plus à Conway ? questionne Jarvis, déroutée.

— Oh ! mais il reste notre suspect numéro un et l'avis de recherche est toujours en vigueur. De plus, on sait qu'il doit retourner au travail à Sharonneville mardi en huit, à neuf heures au plus tard. Bien que nous sachions où il se trouve à l'heure actuelle, nous ne pouvons pas l'interpeller. D'après l'agence des douanes, samedi soir, il a pris un premier avion de Washington vers Chicago d'où il s'est envolé à bord d'un Boeing vers São Paulo au Brésil. Malheureusement, il a quitté Chicago quelques minutes à peine avant qu'on expédie notre avis de recherche… Nous n'avons plus qu'à attendre son retour.

— Le Brésil ! lance Seward qui n'en croit pas ses oreilles. Neumann a quitté Washington le même soir pour Rio. Bob n'avait donc pas besoin de se rendre à Chicago pour aller au Brésil, il n'avait qu'à prendre le même vol que Neumann !

Seward réfléchit un moment avant de reprendre.

— À moins que Bob ait voulu éviter que Neumann sache qu'il s'y rendait, car il le filait.

— Ou encore que les deux hommes ne voulaient pas qu'on sache qu'ils s'étaient donné rendez-vous à Rio, enchaîne Jarvis.

3

Au même moment, à l'orphelinat Casa Rosa, Rio de Janeiro, Brésil…

Neumann s'arrête devant la porte grande ouverte du bureau du directeur de l'établissement, un vieil homme de quatre-vingt-trois ans qui, bien qu'il ait le dos courbé et le corps décharné, ne porte pas de lunettes pour lire. Le directeur lit son journal à voix basse. Il est si profondément concentré sur l'article à la une qui titre *Juanita Gomes manque toujours à l'appel* qu'il ne se rend pas compte qu'il n'est plus seul. Neumann frappe doucement à la porte. Le vieil homme sursaute.

— Pardonnez-moi, je ne voulais pas vous effrayer.

— Ce n'est rien ! Ce n'est rien ! C'est moi qui aurais dû fermer la porte. J'étais absorbé par le journal. Mais ne restez pas planté là. Entrez. Venez vous asseoir. Que puis-je pour vous, mon ami ?

— Merci, je préfère rester debout. Il fait très chaud aujourd'hui. Vous avez un magnifique pays.

— Ah! Comme je l'ai toujours dit, la seule chose que les étrangers ne peuvent pas emporter avec eux, c'est notre soleil. Ils doivent revenir nous voir s'ils veulent en profiter.

Neumann esquisse un léger sourire.

— J'avais l'intention de faire un petit tour à la plage et je me demandais si vous me permettriez d'en faire bénéficier deux ou trois de vos jeunes pensionnaires.

— Oh! mais bien sûr! Comme c'est gentil à vous. Choisissez ceux que vous voulez. Ils se feront tous un plaisir de rater l'école pour faire une escapade avec vous, acquiesce le vieil homme qui, malgré son grand âge, a l'esprit toujours aussi vif.

— Attendez. J'ai une meilleure idée, nous allons prendre un raccourci.

Neumann lui emboîte le pas. Le vieil homme marche lentement tout en poursuivant son monologue incessant. Comme il a arpenté ce couloir des milliers de fois, il se retourne sans cesse vers son interlocuteur sans prendre garde où il va.

— Je vais vous conduire à l'infirmerie. Il y a toujours un ou deux petits qui y traînent. Je suis certain qu'ils préféreront aller à la plage plutôt que de moisir sur une civière. D'autant plus que j'ai interdit formellement à tous mes enfants de quitter la *casa* sans être accompagnés, et ce, tant et aussi longtemps qu'on n'aura pas plus de détails sur la disparition de cette pauvre petite… hum… Juanita Gomes qui, somme toute, n'habitait pas très loin d'ici. Vous savez, dans cet établissement nous n'avons

jamais perdu un enfant et nous en sommes très fiers…
Il ne reste plus qu'à descendre cet escalier, l'infirmerie
se trouve derrière cette porte en bas. Eh! Mais qui a
bien pu éteindre cette lumière… C'est drôlement calme
ici aujourd'hui. D'habitude, on y aperçoit toujours un
gamin qui galope. Attendez, on ne voit rien, je vais
éclairer.

Le directeur tend la main, cherchant à tâtons le
cordon de la douille qui pend habituellement à cet
endroit. Empressé, Neumann étend à son tour le bras
au-dessus du vieil homme, saisit le cordon et le place
dans sa main.

— Merci. Je crois que je vais devoir faire installer une corde plus longue, énonce le directeur, un peu
penaud.

Le vieil homme tire sur le cordon. L'ampoule crépite
et brûle dans un éclair aveuglant, donnant à peine le
temps aux deux hommes d'entrevoir, en bas de l'escalier,
une vieille porte à la peinture tout écaillée.

— *Ôpa*! Ce n'est pas vrai! Bon… bien, on fera avec,
vous n'avez qu'à me suivre. Vous voyez, tout est à refaire
ici. Votre participation à notre mission est une véritable
bénédiction. Vous savez, nous ne laissons jamais partir
nos protégés en voiture avec un inconnu…

Tout en parlant, le directeur soulève le vieux loquet
de fer. Le grincement douloureux de métal rouillé
interrompt sa phrase.

— *Ôpa*! Excusez-moi pour le bruit, cette vieille
porte me surprend chaque fois. Nous y sommes.

Les deux hommes pénètrent dans la petite salle qui
sent l'infirmerie. Une bénévole fait couler quelques

gouttes de peroxyde sur les genoux éraflés d'un bambin pendant qu'un autre petit se lave les mains et qu'une fillette achève de lacer ses souliers. Le directeur sourit en constatant qu'il avait vu juste.

— Les voilà, ils sont à vous. Prenez-en bien soin.

*
* *

Quelques minutes plus tard...

Neumann roule à travers la ville en direction de la plage avec trois petits passagers ravis d'être à bord.

— Nous allons faire un tour à la plage, puis nous irons manger une glace. Vous aimez les glaces?

— *Sim*! répondent à l'unisson les enfants de leur voix haut perchée.

Neumann se retourne et observe un instant la petite fille assise à côté de lui, puis il lève son coude pour dégager le pan droit de son veston.

— Hé! Rosita! Mets ta main dans la poche de mon veston, juste là.

L'enfant hésite un peu, Neumann l'encourage.

— Vas-y, ose!

Ne voulant pas désobéir à la grande personne à qui elle a été confiée, la fillette avance lentement sa main vers la veste et la glisse maladroitement dans la poche. Elle sourit au contact de son contenu et en ressort rapidement une poignée de sucreries de toutes les couleurs qu'elle ramène avidement contre sa poitrine en poussant un cri de joie. Neumann affiche un large sourire.

— Ne les avale pas tous d'un coup. Tu veux partager avec tes camarades ? Vous en voulez aussi ?

— *Sim* ! s'écrient les deux enfants à l'arrière, souriant de toutes leurs dents de lait.

Convaincue des bienfaits du partage, la petite voleuse de friandises a déjà distribué une part du butin à ses complices. Le temps de savourer les délicieux bonbons, les enfants sont déjà placés en cercle sur la plage à jouer au football sous un soleil éclatant. Le bruit continu des vagues produit un effet calmant. Neumann, qui fait dos à l'Atlantique, frappe un peu trop fort le ballon qui dépasse le garçonnet à qui la passe était destinée. Sans perdre un instant, l'enfant s'élance derrière le jouet qui s'arrête à quelques pas de Robert Conway, assis dans le sable et adossé contre une dune, tout comme dans son fauteuil à bascule, là-bas, devant le poste de shérif. Depuis son arrivée, le policier n'a pas quitté Neumann des yeux. Il scrute ses moindres faits et gestes, impassible sous les rayons ardents.

Neumann suit la course de son petit partenaire quand il aperçoit soudain Conway. Leurs regards se croisent. L'enfant, tout sourire, ramasse le ballon, se retourne et galope dans le sable en portant fièrement son trophée au-dessus de sa tête. Dans son enthousiasme débordant, il s'emmêle les pieds, trébuche, laisse échapper le ballon qui roule devant lui et tombe tête première dans le sable. Mais il est tellement heureux que, bien qu'il ait du sable plein la bouche, le nez et les yeux, il se relève tout aussi fringant. Un œil à moitié ouvert et l'autre à moitié fermé, il ramasse de nouveau le ballon et reprend sa course vers l'océan où ses amis l'attendent impatiemment en riant. Le garçonnet botte aussitôt le ballon en direction de Neumann qui doit quitter l'inconnu du regard pour courir vers la sphère bicolore que le bambin lui a renvoyée avec entrain beaucoup trop sur la gauche.

Neumann passe le ballon à la fillette avant d'accourir vers le petit champion pour lui essuyer le visage et vérifier si sa chute ne lui a pas causé trop de dommages. Une fois rassuré sur son état, il se tourne de nouveau vers Conway, mais celui-ci a disparu. Il scrute les alentours, mais toujours rien… Neumann consulte alors sa montre.

*
* *

Conway entre dans sa chambre d'hôtel et se dirige vers la commode. Il y range son arme, dépose sa montre à plat sur le meuble et enlève ses vêtements trempés de sueur. Épuisé par la chaleur et préoccupé par ce contact avec Neumann qui n'était pas prévu, il entre sous la douche et ouvre le robinet d'eau froide. Un jet d'eau plutôt tiède que froid coule sur son dos et le ragaillardit. Les yeux fermés, il s'y prélasse un bon quart d'heure en massant son cuir chevelu avant de se résigner à rouvrir les yeux. Il émerge de sa douche, frais et dispos, enfile le peignoir blanc accroché derrière la porte, attrape une serviette au passage et passe dans la chambre. Il dépose sa valise sur le lit, en sort un jean puis une chemise hawaïenne démodée d'où s'échappe une photo. Il s'agit d'un vieux cliché en noir et blanc pris devant l'orphelinat où il a été élevé. Au premier plan, il repère le frère Fletcher, un genou au sol et une main sur un ballon de football. En arrière-plan sont regroupés les marmots dont il était le tuteur. Conway s'y reconnaît. Il est le plus grand du groupe, celui qui ne regarde pas l'objectif de la caméra, mais plutôt la tête du frère devant lui.

Il ramasse la photo et l'appuie avec mille précautions contre la lampe de chevet afin qu'elle soit bien en évidence. Puis il range ses vêtements dans les tiroirs. Une fois sa petite valise vidée, il entrouvre la porte-fenêtre qui donne accès directement à la cour arrière de l'hôtel, à quelques mètres d'une immense piscine désertée pour la plage. Il s'assoit dans le fauteuil à bascule pour se détendre et réfléchir. Ses paupières s'alourdissent et ses yeux se ferment. Soudain, une silhouette s'interpose entre le soleil et la porte-fenêtre. Un individu fait glisser doucement la porte vitrée et s'introduit à pas feutrés dans la chambre. Il referme la porte, tire le rideau et se campe derrière Conway. Ce dernier entrouvre un œil. D'une seule main, l'homme le saisit à la gorge. La force de l'impact fait pivoter le fauteuil sur la gauche, face à la commode.

Un frisson traverse Conway. Pétrifié, il demeure cloué dans son fauteuil. L'individu l'étrangle avec une telle force qu'il a peine à respirer et ne peut plus remuer ses membres.

— Reste calme, ne te débats pas pour rien. Plus tu vas t'énerver et plus cela te fera mal, murmure à son oreille une voix rassurante.

Conway tente de bouger bras et jambes, mais la main ne desserre pas sa prise.

— Contente-toi de répondre à mes questions. C'est l'heure du bilan… Qui es-tu, Bob ? Que cherches-tu ? Tu as vu beaucoup de gens mourir dans ta vie, Bob ? Oui, tu en as vu beaucoup trop. Parle-moi… tiens, de la mort d'Annie Davis. Tu l'avais échafaudée dans ta tête des milliers de fois, n'est-ce pas ? Ne te mens pas à toi-même, Bob. Bien que tu te sois délecté de sa mort, tu t'en sens horriblement coupable aujourd'hui, car tu dois garder ce secret pour toi seul et tu ne sais plus comment enrayer cette culpabilité qui te ronge, Bob. C'est bien ça ?

Conway est en nage. L'air parvient de plus en plus difficilement à ses poumons et il sent qu'il n'en a plus pour longtemps. Il fixe alors le tiroir de la commode. Malgré sa pénible condition, il se concentre de toutes ses forces et réussit enfin à décoller légèrement son bras gauche du fauteuil. Il voudrait bien l'étendre, mais il en est incapable et rien n'échappe à son bourreau.

— Pourquoi fixes-tu cette commode, Bob ? Qu'y a-t-il dans ce tiroir ? Ton arme de service ? Non, Bob, tu ne feras pas ça, trop l'ont déjà fait avant toi. Raconte-moi plutôt ce qui s'est passé au parking. Tu ne te souviens pas ? Il était treize heures, une jeune femme prénommée Grace est arrivée au centre commercial de Sharonneville. Il ne restait plus aucune place libre. Elle aperçut enfin une voiture qui se préparait à quitter les lieux et signala son intention de s'y garer. Au même moment, Annie Davis, qui se trouvait dans l'allée voisine, aperçut également l'occasion et accéléra dans l'espoir de ravir la place qui se libérait. Si bien qu'elle fonça littéralement sur la voiture de Grace au moment où cette dernière s'engageait dans l'espace vacant. Grace gara sa voiture et oublia aussitôt l'incident. Mais dès qu'elle ouvrit la portière, Annie Davis l'agrippa par les cheveux et la jeta au sol. Puis elle la roua de coups de pied au ventre en l'injuriant et en lui criant qu'elle roulait en Rolls Royce et que ça lui donnait tous les droits. Bien que plus grande et plus forte, Grace fut incapable de reprendre le dessus, car elle était enceinte. Tu passais par là au moment de ta patrouille, Bob. Tu as vu Annie Davis remonter dans sa voiture et Grace gisant au sol. Intimidée par son adversaire, Grace ne voulut pas porter plainte. Comme il n'y avait aucun témoin et que tu n'avais rien vu de l'incident, tu n'as pu que ficher Annie Davis comme violente au volant. Qu'est-il arrivé après, Bob ? Tout le monde aurait laissé tomber l'histoire. Mais pas toi, Bob ! Toi, il faut toujours que tu ailles au fond des choses, poursuit l'interrogateur en intensifiant son étreinte autour du cou de sa victime.

— Tu as appris que la pauvre Grace vivait seule. Alors, tu as rendu une petite visite à son médecin, tu lui as dit que tu étais sur une enquête et tu lui as remis ta carte. Une semaine plus tard, il t'a rappelé pour t'apprendre qu'elle venait de faire une fausse couche. Concentre-toi, Bob et arrête de fixer ce tiroir ! Par la suite, tu t'es rendu à plusieurs reprises chez elle… Il n'est pas très reluisant le ghetto dans ce coin de pays. Tu voulais aller frapper à sa porte, mais tu n'as jamais eu les couilles, Bob. Pourquoi ? Non, tu n'es pas un lâche, Bob ! Arrête de fixer ce tiroir ! Tu ne peux pas sauver tout le monde, Bob ! Tu n'es qu'un policier à la petite semaine. Le monde est injuste et cruel, Bob. C'est alors que tu as canalisé toute la méchanceté du monde dans une seule personne, Annie Davis. L'éliminer à tout prix. Cette obsession est devenue la seule façon pour toi de conserver ton équilibre… Personne n'a regretté sa mort, surtout pas sa fille… Cesse de fixer ce tiroir, Bob, et dis-moi la vérité.

— Oui, j'ai souhaité la mort d'Annie Davis, mais c'est toi qui l'as tuée !

Conway reprend son souffle avant de se tourner vers un petit miroir posé sur la commode. Il n'y entrevoit que les contours du visage de celui qui se tient derrière lui. Il se concentre et reconnaît enfin Auguste Neumann dans la pénombre. Ce dernier lui sourit. Affolé, Conway se débat comme un forcené. Neumann, qui était penché sur lui, se redresse. Il est entièrement nu. Le cœur du shérif adjoint s'emballe. Insensible, Neumann reprend de plus belle.

— Tout le monde sait faire la différence entre le bien et le mal, Bob. Tu as eu du plaisir n'est-ce pas quand tu as vu son cadavre nu et à ta merci ?

— Nooon !

— Non ? Cesse de mentir, Bob ! Est-ce que cela t'a excité ? Ta névrose obsessionnelle t'a-t-elle fait sombrer au point que tes pensées sont devenues perverses ?

— Non !

Les ongles de Neumann se muent en griffes acérées et s'enfoncent dans sa chair. Conway, hypnotisé par l'image du miroir, voit des cornes pousser sur le front de son tortionnaire dont il devine le rictus. Puis ses canines s'allongent et son corps devient de plus en plus velu. Terrifié, Conway ferme les yeux. Il est au bord de l'évanouissement.

— Oui, j'ai eu du plaisir à voir son cadavre.

— Tout le monde sait faire la différence entre le bien et le mal, Bob. Mais pour y parvenir, il ne faut jamais se cacher la vérité, surtout pas celle qui concerne sa propre personne.

— Mais qui êtes-vous ? Je ne crois pas en Dieu et encore moins au Diable ! hurle Conway confus, en cherchant dans le miroir le visage de Neumann qui a pris la forme du démon.

Subitement, le reflet se mue en frère Fletcher qui lui sourit.

— Allez, oublie tout ça et viens jouer au ballon sur la plage avec les autres enfants. Tu es libre maintenant, Bob.

La main du frère se met à le serrer davantage et son visage se transforme en celui de Conway lui-même. Il se sent transporté comme s'il lévitait au-dessus de la pièce. Puis, tout son corps bascule dans le vide et le fauteuil se renverse. Conway tombe sur le dos, se frappe lourdement la tête contre le plancher et se réveille en sursaut, couvert de sueur. Il se relève d'un bond. Le rideau de la porte-fenêtre est grand ouvert et il est seul dans sa chambre. Il porte la main à son cou et ne ressent aucune douleur. Il comprend qu'il vient de vivre un horrible cauchemar. Toujours sous le choc, il s'empare du petit miroir et s'assure qu'il n'y voit que son reflet avant de le reposer à plat. Il fait coulisser la porte-fenêtre, la verrouille, tire le rideau et se rend à la salle de bain où il s'asperge longuement le visage d'eau froide. Mais son cœur continue ses pulsations désordonnées. Il commence à se sentir mal, referme en hâte le robinet et s'élance à toute vitesse vers le lit. Mais la pression s'accentue dans sa poitrine et il s'effondre à quelques pas du but. Il tend la main vers la table de nuit pour attraper le téléphone, mais saisit plutôt la photo. Il accroche au passage la petite lampe qui va choir sur le sol. Submergé par la douleur, il serre la photo dans sa main crispée. Dans un ultime effort, il frappe du poing le téléphone dans l'espoir de le décrocher, mais en vain. Il ramène alors la photo contre son cœur avant de s'écrouler de tout son long.

4

Lundi matin, dans la salle de conférences attenante au bureau de Jamison...

Jarvis et Seward sont assis l'un en face de l'autre, aux deux extrémités de l'immense table. Le nez dans leurs dossiers, ils s'évitent du regard. Jarvis, qui n'en peut plus, ravale son amour-propre, se redresse sur le bout de sa chaise et rompt le silence.

— J'ai beaucoup apprécié ton attitude ce matin devant Monsieur Jamison, avoue-t-elle du bout des lèvres.

— Je peux en dire autant de toi, marmonne Seward, le regard toujours plongé dans ses notes.

— Bon, enfin quoi! On ne pourra pas continuer comme ça. Si on veut travailler ensemble, il faudra bien que l'on se parle tôt ou tard.

— C'est toi qui oses dire ça!

Seward observe Jarvis un moment et se lance.

— Bon d'accord, il faut repartir de zéro.

— On fait la paix ?

— On fait la paix, acquiesce Seward en tendant la main à sa coéquipière.

Soulagée, la jeune femme se lève et scelle la réconciliation d'une poignée de main avant de retourner s'asseoir. Seward ramasse un dossier, tire une chaise et s'installe à ses côtés. Au même moment, la porte s'ouvre brutalement, laissant passer un Jamison survolté.

— Vous vous rappelez le pédophile que l'on a retrouvé mort dans sa voiture jeudi dernier à Hagerstown. Eh bien, il avait un petit ami qui avait été coffré lui aussi pour pédophilie. En fait, pas exactement pour pédophilie, car nous avions conclu une entente avec lui. En échange de sa collaboration, nous lui avions offert une peine réduite pour le meurtre de sa mère et caché son dossier de pédophilie. Encore aujourd'hui, ses camarades de prison le prennent pour un simple criminel. Castelli croit qu'il peut nous aiguiller sur une piste que personne n'a encore explorée. Il avait donc l'intention de lui annoncer de vive voix que son ami était mort afin qu'il consente à nous aider, mais apparemment, la nouvelle nous a devancés… et ce prisonnier doit être libéré demain. Comme Castelli a pris la route pour Bifield et que je n'ai personne d'autre sous la main, vous allez devoir le rencontrer.

— Et comment s'appelle-t-il ? demande Jarvis, inquiète.

— On l'a surnommé *Iceman Killer*.

*
* *

11 h, au *Maryland Correctional Adjustment Center*, prison à sécurité *supermaximale* de Baltimore...

Jarvis et Seward attendent en silence dans une salle d'interrogatoire fermée, assis à une table. Trois gardiens imposants s'engagent dans un couloir en traînant de force un prisonnier.

— Non ! Non ! Laissez-moi ! Laissez-moi ! Je veux rester ici ! Je ne veux pas sortir ! hurle le forcené lourdement enchaîné.

L'homme fait un tel chahut que les deux inspecteurs l'entendent à travers la lourde porte capitonnée. Soudain, la porte s'ouvre. Les deux agents sursautent en échangeant des regards inquiets. Les trois gardiens poussent dans la pièce un colosse d'un mètre quatre-vingt-dix vêtu de sa combinaison orange de prisonnier. Son visage est écarlate, ses yeux sont cernés, il respire bruyamment et paraît totalement épuisé. Les gardiens l'assoient de force sur une chaise et essuient leur visage trempé de sueur. Le détenu se calme enfin.

— On sera juste derrière, les informe le plus âgé en pointant la fenêtre de surveillance percée dans la porte. Si vous avez besoin de quoi que ce soit, n'hésitez pas à nous faire signe. Ça va bien aller, les rassure-t-il en souriant gentiment aux deux jeunes agents manifestement inexpérimentés.

Puis il se tourne vers le prisonnier et lui met la main sur l'épaule.

— Tu vas être bien sage, n'est-ce pas, *Iceman*?

Le détenu reste inflexible et le sympathique gardien se dirige vers la porte sans attendre de réponse.

— Merci! lance Jarvis d'un ton ferme pour montrer qu'elle ne s'en laisse pas imposer.

Pour sa part, Seward se contente de hocher la tête de haut en bas. Une fois ses collègues sortis de la pièce, le surveillant referme derrière lui et se colle le nez à la vitre. Les deux agents observent *Iceman Killer* qui est resté prostré sur sa chaise, les jambes allongées et écartées autant que le permettent les chaînes qui l'entravent. Ses yeux sont fermés et sa tête est basculée vers l'arrière, comme s'il dormait ou s'était évanoui. Jarvis feuillette nerveusement le dossier et se décide enfin à briser la glace.

— Nos condoléances pour votre ami, nous sommes désolés. Je…

— Va te faire foutre! l'interrompt brutalement le détenu sans même ouvrir les yeux.

Ébranlée, Jarvis sursaute puis tente à nouveau d'établir le contact.

— Je suis l'agent spécial Jarvis et voici mon collègue, l'agent spécial Seward.

Elle fait une pause en espérant qu'*Iceman* se présente à son tour ou, à tout le moins, la salue. Mais rien. Elle cherche Seward du regard, mais celui-ci ne cesse de fixer le prisonnier. Jarvis poursuit donc l'interrogatoire.

— Nous comprenons ce que vous vivez, mais nous ne pouvons rien y changer et nous avons besoin…

Iceman bondit sur ses pieds, l'écume à la bouche. Il avance son visage vers son interlocutrice, les yeux exorbités.

— Vous ne comprenez rien! Rien de rien! vocifère-t-il en frappant ses poignets enchaînés sur la table, avant de s'affaler sur sa chaise.

Il se met à agiter les bras de haut en bas, heurtant chaque fois de ses chaînes le rebord de la table dans une cacophonie. Jarvis est pétrifiée et n'arrive plus à articuler un son. Seward n'est guère plus rassuré. Mais voyant que Jarvis est incapable de poursuivre, il tente une nouvelle approche.

— Écoutez, Monsieur… euh… *Killer*, vous avez conclu une entente avec le FBI et aujourd'hui, nous avons besoin de votre aide…

— Il l'a tué! Il l'a tué! Il nous tuera tous! beugle *Iceman* qui fond en larmes et oscille dangereusement sur sa chaise.

Seward marque un temps d'arrêt avant de poursuivre.

— Nous allons vous protéger…

Le prisonnier entre alors dans une rage folle. Il se redresse brusquement et, d'un solide coup de pied, envoie valser sa chaise contre le mur. Puis il se penche au-dessus de la table en pointant du doigt le jeune policier.

— Écoute-moi bien, espèce de connard! Il n'est pas question que je mette les pieds hors d'ici. Fourre-toi bien ça dans le crâne!

Le gardien ouvre brusquement la porte. Seward lui fait signe d'arrêter.

— Non, ça va aller.

Le vieux gardien en a vu d'autres. Il referme la porte en silence et reprend son guet. Seward se retourne et fixe le forcené. *Iceman* cache son visage dans ses mains et se met à sautiller de façon erratique.

— Je ne veux pas mourir ! Je ne veux pas mourir ! Je ne sortirai pas d'ici ! Il l'a tué ! Il l'a tué !

Jarvis, qui n'aime pas perdre la face, se ressaisit et décide de prendre la relève.

— Asseyez-vous !

Mais *Iceman* continue de gigoter en s'apitoyant sur son sort. Exaspérée par ses jérémiades, Jarvis pousse un hurlement.

— LA FERME ! Assieds-toi et ferme-la !

L'injonction tire instantanément *Iceman* du délire où il s'était réfugié. Il s'essuie les yeux et le nez du revers de ses manches et reste coi.

Surpris et admiratif, Seward se tourne vers Jarvis qui est tout aussi étonnée du succès de son intervention. Ravie, elle reprend d'une voix ferme.

— Ramasse ta chaise, lui intime-t-elle en pointant le meuble du doigt.

Iceman obtempère aussitôt. Il remet la chaise sur ses pieds et s'y rassoit. Jarvis ouvre le dossier et résume au fur et à mesure les paragraphes à voix haute, espérant trouver l'élément déclencheur qui incitera *Iceman* aux confidences.

— En 1996, toi, ta mère et ton petit ami Ralph Lebb, vous lanciez une sorte de commerce innovateur et plutôt lucratif sur Internet.

Jarvis regarde *Iceman* qui baisse les yeux. Elle reprend.

— Le 22 septembre de cette même année, en soirée, ta mère s'est fait subitement casser le cou. Tu étais là et c'est toi-même qui as alerté les policiers. Arrivés sur les lieux, les enquêteurs n'ont pas tardé à découvrir que vous exploitiez un sordide réseau d'enfants esclaves sexuels. Ils ont alors fait appel au FBI et tu as aussitôt demandé à rencontrer l'agent mandaté. Tu lui as proposé de signer des aveux pour le meurtre de ta mère et tu lui as promis ta collaboration absolue le moment venu ; en échange, le FBI t'éviterait la chaise électrique et la prison à vie et, surtout, il ne divulguerait pas les véritables raisons de ton arrestation, pas même aux gardiens.

Jarvis fait alors une pause pour mesurer la réaction du prisonnier. Celui-ci a concentré toute son attention sur la fenêtre derrière laquelle le surveillant garde les yeux rivés sur lui. Puis *Iceman* reporte son regard sur Jarvis qui poursuit.

— Le FBI t'a fourni une nouvelle identité. Il t'a fait connaître sous le surnom d'*Iceman Killer* et s'est arrangé avec la presse pour te façonner une image de tueur froid, impitoyable et sans peur.

Jarvis s'interrompt de nouveau pour le regarder droit dans les yeux.

— Les gens te prennent vraiment pour un dur de dur. Bien sûr, aujourd'hui, les gardiens et certains de tes petits camarades t'auront vu sous un jour un peu moins glorieux. Mais... tu n'as pas à t'en faire, ça va passer sur le dos de la douleur provoquée par la perte d'un être cher...

— Va chier, salope ! lance *Iceman* qui, silencieux jusqu'alors, ne peut plus se contenir.

— ... pour l'instant, complète Jarvis, imperturbable.

Elle se retourne vers le gardien, toujours à l'affût derrière son hublot, avant d'interroger Seward.

— Ces portes sont-elles vraiment aussi bien insonorisées qu'on le dit ?

— Va savoir, réplique Seward qui joue le jeu.

Jarvis fixe alors de nouveau *Iceman* qui recommence à se balancer d'avant en arrière. Il se met à se frapper la tête contre ses poings en pleurant.

— Je ne veux pas sortir d'ici ! Je ne veux pas sortir d'ici ! Il l'a tué ! Il l'a tué ! Je ne veux pas mourir ! Je ne veux pas mourir !

Sentant qu'il est sur le point de craquer, Jarvis poursuit.

— Tu as avoué sans hésiter le meurtre de ta mère, mais tu n'as jamais voulu raconter ce qui s'était passé ce soir-là. Même si tu avais un mobile valable de la tuer, puisque c'est elle qui t'avait amené à travailler dans ce réseau, personne au FBI n'a jamais vraiment cru ton histoire. On a toujours été persuadé que c'était Lebb, ton petit ami, qui l'avait tuée pendant sa libération sous caution et que tu avais pris ce meurtre sur tes épaules pour le protéger. Cependant, le dossier fut quand même classé dans les affaires résolues. Apparemment, tout le monde se trompait. Ton petit ami est mort dans les mêmes circonstances jeudi dernier. Tiens, regarde.

Elle prélève dans le dossier une photo prise à Hagerstown le jeudi soir précédent. On y voit Ralph Lebb dans sa voiture, la tête renversée et le cou brisé. Impitoyable, Jarvis l'agite sous le nez d'*Iceman*. Seward est stupéfait devant son sang-froid et son apparente cruauté. Puis il se ressaisit et se dit que, s'ils forment un duo comportant un bon et un méchant, il est manifeste que la place du méchant est déjà occupée. *Iceman* ne peut détourner son regard de la photo. Puis il bondit.

— Haaa ! Haaa ! Haaa ! Je ne veux pas mourir ! Je ne veux pas mourir !

— Tu as vu le meurtrier, c'est ça ? Pourquoi a-t-il fait ça ? Dis-nous qui il est ! relance Jarvis.

— Il avait promis ! Il m'avait promis qu'il ne reviendrait pas ! Il avait promis que, si je me rendais à la police, il ne reviendrait pas ! Il avait promis ! Il avait promis !

— Qui ça ?

— Je ne sais pas ! Je ne sais pas ! Il faisait noir. J'étais effrayé, je n'ai vu qu'une ombre. C'était une ombre ! Une ombre !

Jarvis ouvre la bouche, mais avant même qu'il en sorte un mot, Seward l'attrape par le bras.

— C'est bon, c'est bon *Iceman*… assieds-toi maintenant, assieds-toi, l'exhorte le jeune policier avec douceur.

Iceman se rassoit tout en continuant à se balancer d'avant en arrière.

— Non, non, non, non, non.

Sans un mot, Seward retire sa main du bras de Jarvis en évitant de la regarder. Elle comprend alors que c'est à elle d'enchaîner.

— Nous n'avons pas le moindre indice, et le tueur de ta mère et de ton petit ami court toujours. Si tu nous aides à le coincer…

Iceman bondit de nouveau, mais dans sa hâte, il trébuche contre sa chaise et s'écrase lourdement sur le sol.

— Va te faire foutre ! Je t'encule, espèce de salope ! Je te hais ! Je te hais ! hurle-t-il en se roulant sur le sol, envoyant la chaise valser au loin. Je n'irai pas me faire égorger par ce dingue pour te faire plaisir, va te faire foutre ! braille-t-il en rampant sur les fesses jusqu'au mur.

— Si tu nous aides et qu'on le coince, le FBI te sera reconnaissant et nous reverrons notre entente avec toi.

— Va te faire foutre ! Va te faire foutre ! Va te faire foutre !

Le forcené se met à se frapper la tête contre le mur. Jarvis se retourne vers Seward. Mais comme ce dernier reste immobile, elle poursuit, impassible.

— Si tu refuses de nous aider et de respecter ton contrat, peut-être que la nouvelle va circuler que le FBI a mal fait son travail lors de ton arrestation et, qu'en fait, *Iceman Killer* n'est qu'une *fiotte* qui payait des glaces aux enfants pour les attirer chez lui où ils se faisaient torturer pendant que tu les filmais en salivant. Certains médias aiment bien raconter que les policiers ont commis une erreur. Je suis sûre qu'on va avoir une très large diffusion. Si tu ne veux pas sortir, ça tombe bien, car ta libération conditionnelle serait sûrement automatiquement annulée. Il y a beaucoup de pensionnaires condamnés à vie ici et j'ai entendu dire que, parmi eux, plusieurs racontent que, s'ils en sont arrivés là, c'est qu'ils ont été malmenés durant leur enfance. Tu crois qu'ils écoutent les infos du soir ?... Tu as jusqu'à demain dix heures pour te décider.

Seward sort une carte et l'exhibe sous les yeux du prisonnier avant de la déposer sur la table.

— Tu n'as qu'à appeler à ce numéro.

Iceman se redresse d'un bond et recommence à se frapper la tête contre le béton jusqu'à ce qu'il s'écroule sur le sol. Seward fait signe aux surveillants qui se précipitent dans la pièce. Deux d'entre eux accourent vers *Iceman* pendant que le troisième reste près de la porte. *Iceman* gît sur le ventre, inerte. Les deux gardiens le retournent et le plus chevronné tâte son pouls.

— Ça va aller, il est juste un peu sonné.

Ils l'empoignent de chaque côté et tentent de le relever.

— C'est bon, ne le bougez pas. Laissez-le tranquille, on a obtenu ce qu'on voulait, les informe Seward.

Les deux hommes reposent doucement *Iceman* sur le sol pendant que Jarvis range soigneusement les feuilles dans le dossier. Seward ramasse sa carte et la tend au plus âgé.

— S'il vous plaît, pourriez-vous lui remettre cette carte lorsqu'il reviendra à lui ?

Le gardien s'approche et saisit la carte.

5

Lundi en début de soirée, à Bifield...

Son dossier à la main, Castelli fait le tour de l'église et s'arrête un moment devant l'entrée du cimetière. Il tente de comprendre les motivations qui ont pu pousser un individu à assassiner aussi cruellement un pasteur. Ce n'est pas la première fois qu'il est témoin de crimes aussi macabres, mais celui-ci a été perpétré dans une église et laisse croire à un rite sacrificiel. Mais habituellement, ce sont des enfants ou des jeunes femmes qui en sont victimes, car il est principalement motivé par la perversion.

— S'en prendre à un vieillard de façon aussi violente et sexuelle, ce n'est pas banal, marmonne-t-il en avançant dans l'allée centrale.

Il s'arrête pour consulter son dossier. Un son sur sa droite attire son attention. Il scrute la pénombre sans

51

parvenir à distinguer quoi que ce soit à travers les pierres tombales. Le bruit cesse et Castelli poursuit sa marche quand soudain, il reprend. Il referme précipitamment son dossier et pose sa main sur son arme à feu. Il détache la languette du vieil étui de cuir et continue d'avancer à pas feutrés vers un monument d'où lui semble venir le bruit. Un vieil homme creuse une fosse. Il referme l'étui et aborde le fossoyeur.

— Bonsoir, Monsieur, je suis l'agent spécial Castelli du FBI. J'enquête sur le meurtre du pasteur Douglas, s'annonce-t-il en présentant sa plaque du Bureau fédéral.

Bien qu'il n'en soit qu'à son second coup de pelle, le vieil homme profite de ce répit et lui tend la main.

— Oh, mais je sais qui vous êtes. Je vous ai vu l'autre jour, vous et la charmante jeune fille qui vous accompagnait. Je suis le fossoyeur, le jardinier, le gardien, enfin l'homme à tout faire du cimetière depuis si longtemps que, chaque fois que je creuse un trou, je me demande s'il sera pour moi.

— Depuis quand connaissiez-vous le pasteur ?

— Depuis aussi longtemps que je suis un homme. Il a toujours été pasteur ici. D'ailleurs, c'est lui qui a fait bâtir ce temple deux ou trois ans à peine avant que je vienne m'installer au village.

— Avait-il des ennemis ?

— Pas que je sache. Cet homme était adoré de tous. Il était très généreux et n'a jamais fait de mal à personne. Vous pouvez demander à qui vous voulez au village, tout le monde ne vous en dira que du bien, rétorque spontanément le vieux jardinier, le regard embué de larmes. Je ne sais pas qui a pu commettre un crime pareil, il n'y a que le Diable pour faire une chose comme celle-là.

Le vieil homme sort de sa poche un mouchoir de coton blanc et s'essuie les yeux. Castelli lui laisse le temps de se ressaisir avant d'enchaîner.

— Avez-vous remarqué quelque chose d'anormal ces derniers temps ? Un évènement qui vous aurait surpris ou semblé étrange ?

— Non, il ne se passe pas grand-chose dans le coin, vous savez, hormis un gamin qui pratique la planche à roulettes sur les marches de l'église après l'école. Il y a bien cette vieille dame qui vient tous les dimanches en limousine avec son chauffeur, mais...

— Mais quoi ? demande Castelli, intrigué.

— Suivez-moi.

Le vieux jardinier amène Castelli jusqu'au pied d'une tombe, à quelques mètres de là. Le policier lit l'inscription sur la pierre tombale.

— Mais ces gens sont morts il y a une quarantaine d'années. Et cette vieille dame vient y déposer des fleurs tous les dimanches ?

— Tous les dimanches que le Bon Dieu amène, c'est comme je vous le dis. Elle débarque en limousine avec son chauffeur qui porte le bouquet et qui le lui remet pour qu'elle le dépose sur la tombe. Vous savez, c'est une bien triste histoire que celle des McBerry. Je m'en souviens comme si c'était hier. Ah oui ! Je parlais sur le perron de l'église avec Martin et, une minute plus tard, lui et sa femme étaient morts.

— Que leur est-il arrivé ?

— Il a raté la courbe à la sortie là-bas et il est allé s'écraser contre un arbre. C'était le même jour ou presque où deux fillettes du coin furent assassinées. Elles ont été retrouvées dans un sale état… c'est resté gravé dans ma mémoire. La police n'a jamais attrapé le meurtrier. D'ailleurs, l'une des victimes était la fille unique du pasteur… tenez, regardez, elle est là, à côté de sa mère. La pauvre femme. Dieu ait son âme. Elle est morte de chagrin quelques années plus tard, laissant seul le pasteur.

Castelli sait que les personnes âgées n'aiment pas parler ouvertement de suicide et emploient souvent des formules de rechange comme : *il nous a quittés trop vite* ; *il a devancé son heure* ; ou encore, *il est mort de chagrin*.

— Vous voulez dire qu'elle s'est suicidée ?

Le vieil homme baisse les yeux.

— Elle est morte au pied de la falaise. Je vais devoir creuser un trou à côté d'elle pour y enterrer ce pauvre pasteur. Je ne sais pas pourquoi je vous ennuie avec ces vieilles histoires.

Castelli remarque sur les tombes de la femme du pasteur et de sa fillette des fleurs encore fraîches.

— Qui a déposé ces fleurs ? Est-ce la même dame ? C'est elle qui fleurit toutes ces tombes ?

— Non, le gros bouquet sur la tombe des McBerry, c'est elle. Mais les autres, c'est moi qui les distribue. En fait, ce sont ses fleurs. Ça me gêne un peu de vous raconter ça. Enfin… le samedi, je prends le bouquet que la dame a laissé le dimanche précédent et je dispose les fleurs qui sont encore belles sur les tombes voisines, surtout sur celles que personne ne vient plus visiter. Cela embellit le cimetière. Et, bien que je fasse cela depuis près de quarante ans, elle ne m'a jamais fait le moindre reproche. Alors, tous les samedis, je recommence le même manège… sauf il y a deux semaines quand le pasteur s'est fait tuer. Ce samedi-là, je ne suis pas venu, avoue le vieil homme en courbant l'échine.

— Vous dites qu'elle vient depuis une quarantaine d'années. Qui est-elle ?

— Je n'en sais rien. Vous voulez que je vous dise, et bien je ne lui ai jamais adressé la parole. Non, je ne lui ai jamais parlé, pas même un bonjour. Oh ! bien sûr, on a échangé un sourire une fois ou deux, mais sans plus. Un jour, j'ai demandé au pasteur s'il désirait que je l'invite à assister à l'office et il m'a intimé de ne jamais entrer en contact avec elle. Il ne m'a jamais dit pourquoi. Et, de toute ma vie, je ne l'ai jamais vu mettre les pieds dans l'église ni déposer la moindre offrande dans le tronc à l'entrée.

— Le pasteur la connaissait ?

— Non, je ne crois pas. Je pense qu'il ne voulait pas qu'on la dérange, tout simplement.

— Vous affirmez que cette femme vient en limousine chaque dimanche. Pourtant, j'étais là l'autre dimanche et je ne l'ai pas vue, remarque Castelli en fronçant les sourcils.

— Oh oui qu'elle y était ! Ce jour-là, je suis venu jusqu'au cordon policier. Quand vous êtes entré dans l'église, elle, elle sortait de sa voiture qui était garée dans la rue, juste derrière la mienne, à cause du barrage. Elle a fait le tour, a déposé son bouquet et s'en est allée comme d'habitude. Je me suis dit que, cette fois, elle allait peut-être s'informer de ce qui se passait. Eh bien, non ! Elle a suivi sa routine à la lettre. Je ne sais rien de plus sur elle, mais si vous voulez lui parler, rien n'est plus facile. Vous n'avez qu'à vous présenter dimanche prochain. Vous pouvez être sûr qu'elle sera là, répond le jardinier avec aplomb.

— Cette femme, c'est la fille des McBerry ?

— Oh non ! Elle est bien trop âgée. Et, de toute façon, les McBerry n'avaient qu'un enfant, un fils… attendez que je me souvienne… Edward ! Voilà, c'est ça ! Il s'appelait Edward.

— Vous savez ce qu'il est devenu ?

— Ah oui ! Bien sûr ! Il a tout de suite été repris par un membre de sa famille, nous a affirmé le pasteur.

— Vous l'avez revu depuis ?

— Non, bien sûr que non ! Martin son père était fraîchement débarqué d'Écosse, si je me rappelle bien. Le petit est sûrement retourné là-bas. En fait, maintenant que vous me posez la question, je n'en sais trop rien. Le pasteur ne m'a jamais dit qu'il y était retourné, mais comme il nous a raconté qu'un parent du côté de son père était venu le chercher, j'ai toujours cru qu'il devait être allé en Écosse. Ce n'est pas la porte à côté, vous savez !

Castelli regarde sa montre.

— Il se fait tard, je dois y aller. Merci, Monsieur… Monsieur ?

— Joseph. Samuel Joseph.

— Voici ma carte, Monsieur Joseph. N'hésitez pas à me téléphoner si quelque chose vous revient à propos de la mort du pasteur. Parfois, un petit détail fait grandement avancer une enquête.

— Je n'y manquerai pas, jeune homme.

Amusé, Castelli tourne les talons et se dirige vers son véhicule. Il s'y assoit et griffonne quelques notes dans son carnet avant de reprendre la route en direction de Quantico.

6

Lundi 21 h, à Rio de Janeiro, Brésil...

Un préposé à l'entretien ménager frappe à la porte de la chambre d'hôtel de Conway. Pas de réponse. Il insiste, mais toujours rien. Il entre et aperçoit Conway étendu sur le sol. Il s'agenouille près du corps, soulève sa main et tâte son pouls. Conway sursaute et ouvre les yeux. Il est totalement désorienté et ne sait ni où il se trouve ni l'heure qu'il est. Soulagé de constater que son client n'est pas mort, le préposé lui sourit. Il veut l'aider à se relever, mais Conway ouvre la main qui était restée crispée contre son cœur, laissant ainsi échapper la précieuse photo. Il prend appui sur l'autre main, se relève péniblement et se laisse choir sur le lit, les pieds pendants. Puis il se redresse vivement et cherche la photo des yeux. Il la repère enfin à côté de son pied droit, la ramasse et la range dans la valise ouverte sur le lit. L'employé de l'hôtel attrape la lampe, la dépose sur la table de nuit, tire le rideau et ouvre la porte-fenêtre tout en s'adressant doucement à Conway avec un fort accent brésilien.

— *Senhor,* vous voir *doutor* !

Conway se frictionne le visage à deux mains et reprend peu à peu ses esprits.

— Non merci, ça va aller. Merci beaucoup.

— Vous voir *doutor* ! le presse le préposé, conscient de la gravité de son état.

Conway regarde par la fenêtre et constate que le soleil est déjà couché.

— Quelle heure est-il ?

Il se dirige en titubant vers la commode, consulte sa montre et la passe à son poignet. Pendant ce temps, le préposé décroche le téléphone et commence à composer un numéro. Conway comprend qu'il tente de joindre la réception pour faire venir un médecin.

— Non ! Non, ne faites pas ça ! ordonne-t-il en fouillant fébrilement dans la poche de son pantalon posé au pied du lit.

Il en sort un billet de dix dollars, le plie, s'approche de l'employé consciencieux et le lui tend pendant que, de l'autre main, il coupe la communication.

L'homme le dévisage, ayant peine à croire qu'il refuse toute assistance médicale. Il dépose le combiné. Conway saisit sa main et y glisse le billet de banque. Le bon Samaritain ne peut cependant s'empêcher d'insister une dernière fois. Mais comme le client a toujours raison, il accepte le billet et l'enfonce dans sa poche avec un large sourire. Conway lui indique gentiment la sortie.

— *Obrigado muito muito*, s'incline l'employé en quittant la chambre.

— Merci à vous.

Enfin seul, Conway retire son peignoir, le lance sur le lit, se précipite sur ses vêtements et les enfile en toute hâte.

*

*   *

Dans un bar de troisième ordre pour touristes en quête d'exotisme, une jolie Brésilienne légèrement vêtue arbore un épais maquillage qui ne berne personne sur son jeune âge. Debout, elle parle avec animation à un client attablé devant son verre. L'homme éclate d'un rire grossier, ce qui attire l'attention de Neumann qui, installé au bar, est en train de consulter sa montre. Il se tourne vers le couple. Au même moment, la jeune fille s'éloigne de son interlocuteur en agitant la main en signe de mécontentement. Son regard croise alors celui de Neumann. Elle lui sourit, ayant déjà oublié l'existence de celui qu'elle vient à peine de quitter. Neumann lui rend son sourire et se retourne aussitôt vers le comptoir où l'imposant barman est en train de lui servir le *Tiâ Maria lait* qu'il a commandé.

— Elle est belle, n'est-ce pas !

— Elle est jeune, réplique Neumann.

— *Boua* ! Chichina, elle a deux enfants, rétorque le barman en haussant les épaules avant d'aller servir un autre client.

Neumann commence à peine à tremper ses lèvres dans son verre que la jeune fille se trouve déjà assise sur le tabouret, à sa droite. D'un simple claquement de doigts, elle attire l'attention du barman qui accourt aussitôt, un verre à la main. Sans qu'aucune parole ne soit échangée, il lui sert la même chose qu'à Neumann, mais la demoiselle ne semble pas s'y intéresser. D'un geste étudié, elle appuie son coude droit sur le comptoir, fait pivoter le siège de son tabouret vers Neumann et croise sa jambe droite sur la gauche, de façon à rapprocher son genou à quelques centimètres de la cuisse de son prospect. Puis elle lui décoche un large sourire qui illumine son visage délicat. Avec un léger accent, la séduisante jeune fille engage enfin la conversation.

— Il fait chaud… Vous êtes à Rio pour affaires ?

Neumann laisse descendre tout doucement sa première gorgée, dépose son verre, tourne légèrement la tête vers elle et plonge ses yeux dans les siens.

*
* *

Quelques heures plus tard, dans un coin tranquille du bout de la plage, Neumann est assis nonchalamment dans le sable, les jambes croisées et les coudes appuyés sur les genoux. Chichina, debout près de lui, descend lentement sa jupe dans la douce obscurité de la nuit. Puis elle croise ses bras de chaque côté du corps et passe au-dessus de sa tête le chemisier ajusté à la taille et aux épaules, dénudant ainsi sa délicate poitrine. Elle dénoue ensuite le ruban qui retient son épaisse chevelure et secoue la tête. Envahie par une joie soudaine, elle s'élance vers la mer en cabriolant sous la seule lumière de la lune. Neumann, qui déjà avait peine à distinguer le corps nu de la jeune beauté, perd de vue l'adorable silhouette. Il ne perçoit plus que ses éclats de rire qui brisent la ritournelle incessante des vagues. Exténué par l'heure tardive, il commence tout juste à se détendre dans ce rare moment de solitude quand il sent une présence derrière lui. Il esquisse un mouvement pour se retourner, mais un objet métallique rond et froid lui glace la nuque.

— Posez les mains sur vos genoux! lui ordonne une voix forte.

Un long silence s'installe entre les deux hommes. Ni l'un ni l'autre ne semblent disposés à briser la glace.

— Que voulez-vous? demande enfin Neumann qui décide de tenter sa chance. Je dois avoir quelques billets sur moi. Si vous le permettez, je vais glisser ma main droite dans ma poche pour en retirer mon porte-feuille…

— Ne bougez pas! Je ne convoite pas votre argent.

— Que voulez-vous alors? répète Neumann, qui commence à s'impatienter.

Toujours le même silence, mais cette fois, c'est l'inconnu qui le rompt.

— Ne vous êtes-vous jamais remis en question?

— Quoi? Je me remets sans cesse en question, répond Neumann, décidé à établir la communication avec l'homme qui le tient en joue.

— Ah! vous avez toujours la bonne réplique.

— Mais qui êtes-vous? demande Neumann qui réalise que son interlocuteur est manifestement plus qu'un simple voleur.

Aucune réponse ne lui fait écho.

— Vous n'êtes pas brésilien, n'est-ce pas ? poursuit-il.

— Pourquoi faites-vous cela ?

— De quoi parlez-vous ?

— Vous deviez bien vous douter que cela arriverait un jour ? relance l'homme d'un ton menaçant.

— Mais de quoi parlez-vous ? Il y a sûrement erreur sur la personne ! Votre voix ne me rappelle rien. Si vous me laissiez me retourner, on discuterait calmement face à face et vous pourriez vous rendre compte de votre méprise.

— Je sais parfaitement qui vous êtes.

— J'aimerais pouvoir en dire autant.

— Altoona, Uniontown, Salem, Sharonneville ! … Ces villes ne vous rappellent rien, Professeur Neumann ? énumère l'inconnu en appuyant sur le mot professeur.

— Je vous l'ai déjà dit, il y a erreur sur la personne. Que me voulez-vous ?

— Dans nos sociétés modernes dites évoluées, un homme entend en moyenne deux cents mensonges par jour, Professeur Neumann. Le saviez-vous ?

Mû par une irritation croissante devant la résistance de Neumann, l'homme appuie son pouce sur le chien de son revolver pour l'armer. Dans le calme et l'obscurité de la plage, le claquement du mécanisme résonne comme un coup de tonnerre aux oreilles de Neumann.

— D'accord ! D'accord ! J'ai compris ! Même si l'on ne s'est jamais rencontré, vous avez l'intention de me tuer. C'est bien ça ? Qu'attendez-vous alors ?

— Mais on s'est déjà rencontré. Le nom de Bill ne vous dit-il rien ? Il y a de cela bien longtemps. Bien que les tueurs en série oublient la plupart de leurs meurtres, ils n'oublient jamais le premier… vous vous en souvenez n'est-ce pas ?

Neumann en a le souffle coupé et laisse passer un long moment de silence. L'homme derrière lui comprend qu'il vient de faire mouche.

— Je savais que cela vous toucherait.

— Que me voulez-vous ? Ah ! je vois maintenant pourquoi vous m'avez demandé si je ne m'étais jamais remis en question.

Neumann éclate de rire en secouant la tête de gauche à droite, les yeux fixés sur le sable. Puis il enchaîne.

— Vous faites comme tous ces gens qui abordent leur psy en disant : *j'ai un ami qui voudrait savoir*. Mais en réalité, l'ami c'est eux… C'est bien ça ? Vous avez quitté le pays pour venir ici à Rio dans l'intention de me tuer. Vous avez dû vous répéter cette scène des milliers de fois, n'est-ce pas ? Vous avez dû me suivre partout. Mais, attendez… c'est vous l'homme que j'ai vu ce matin sur la plage ? Oui, d'accord. Mais maintenant que vous êtes là, vous n'y arrivez plus. C'est vous qui vous remettez en question, c'est bien ça, n'est-ce pas ? Mais comment vous appelez-vous ? Vous ne croyez pas que j'ai le droit de connaître le nom de celui qui va m'exécuter ?

Neumann tente de tourner la tête pour apercevoir son agresseur, mais celui-ci accentue la pression du canon contre sa nuque.

— Ne bougez pas !

— Vous ne cessez de me menacer avec cette arme depuis votre arrivée, mais vous n'avez pas encore proféré de gros mots. Vous ne devez donc pas être aussi méchant que vous voulez le faire croire. Vous n'avez pas le comportement typique d'un assassin ni celui d'un tueur à gages. Que faites-vous dans la vie ? Je suis psychanalyste, pas devin. Alors, aidez-moi !... Vous êtes policier ! Non... dites-moi que je me trompe ! Ah, je vois. Mais vous n'êtes pas dans votre juridiction ici. Pourtant, l'histoire nous enseigne que, dans notre pays, les représentants de l'ordre ne se donnent habituellement pas tant de mal pour procéder à une exécution sommaire. Nous n'avons qu'à nous fixer un rendez-vous pour un bon vieux duel dans le désert et le tour sera joué, non ? Ce n'est plus comme ça que vous fonctionnez ? Il y a quelque chose qui cloche. Vous tuez dans le dos en sol étranger maintenant ? Pourtant, vous ne me semblez pas être de la CIA.

— Dix ans ! Ça va faire bientôt dix ans que je suis sur vos traces, révèle l'homme avec amertume.

— Il y a du ressentiment dans votre voix, mais il y a également du doute et du respect. Vous n'êtes pas un assassin. Quoi que vous ayez fait dans le passé, vous pouvez toujours changer.

L'homme prend une grande inspiration.

— Quelle est la façon la plus efficace d'éliminer Frankenstein ? C'est d'empêcher son créateur de devenir docteur. C'est bien ça, Professeur Neumann ?

— Je vois que vous avez lu mon livre.

— Vous croyez pouvoir empêcher tous les Victor Frankenstein de ce monde de devenir docteur, n'est-ce pas ?

Neumann reste songeur un moment puis, soudain, un déclic se produit dans sa tête et il se met à sourire.

— Vous n'avez pas la moindre preuve ! Voilà pourquoi vous ne m'avez jamais appréhendé… Le meurtrier n'a pas laissé le moindre indice et vous vous êtes rabattu sur moi… en vous nourrissant de mes écrits.

— Vous connaissiez toutes les personnes assassinées.

— Cela ne fait pas de moi un meurtrier, voyons ! Vous êtes un être intelligent, vous avez sûrement appris ça à l'Académie. Vous êtes du FBI ? Que diable puis-je avoir comme mobile pour justifier tous ces meurtres ?

— Vous les *prédatiez* !

— Je quoi ? Mais c'est absurde mon pauvre ami, vous avez trop d'imagination ! Vous devriez vous mettre à l'écriture ! Pas un jury au monde ne me condamnera avec de telles sottises. Pas un seul procureur n'ira en Cour avec de semblables arguments. Jamais un juge ne lancera un mandat d'arrêt pour une histoire de loup-garou ou de je ne sais trop quoi qui brise le cou de ses victimes les soirs de pleine lune. Il n'y a que dans les livres pour enfants que l'on trouve des fables pareilles !

— Qui vous a dit qu'on leur avait brisé le cou ?

— Quoi ? Mais… je l'ai entendu à la télé !

— Non, personne n'a dit cela à la télé, cette information n'a pas été divulguée aux médias.

Neumann réfléchit un moment avant de répondre.

— Je dois écouter de meilleures chaînes télévisées que vous. Le professeur Ames, qui a travaillé sur ce dossier pour le FBI, enseigne à la même faculté que moi à l'université de Boston. J'ai dû lire son rapport ou il m'en aura glissé un mot. Mais, attendez un peu. Vous dites que vous m'avez suivi pendant dix ans et vous n'avez toujours pas la moindre preuve. Comment cela se peut-il ?

— Vous changez de sujet, c'est très habile de votre part, mais cela ne vous donnera rien.

— Comment se fait-il que vous n'ayez pas la moindre preuve, Officier ? Cela fait dix ans que vous croyez que tous ces meurtres sont liés et tout ce que vous avez à vous mettre sous la dent, c'est la théorie d'un psychanalyste qui rêve d'un monde meilleur. Non, cela n'a aucun sens. Comment se fait-il que vous n'ayez jamais rien trouvé, Officier ? Si vous m'avez suivi, c'est que vous avez dû en suivre d'autres, n'est-ce pas ? Et pas un seul de vos suspects n'a encore commis une seule erreur. Êtes-vous un agent incompétent ? Je ne le crois pas. Serait-ce que vous n'avez jamais cherché au bon endroit, Officier ?

— Où voulez-vous en venir, Neumann ? maugrée l'individu qui sent la pression lui monter à la tête.

— Faites-vous d'horribles cauchemars ? Vous pourchassez le tueur depuis des années et vous n'avez toujours pas mis la main dessus. Est-ce parce que vous n'éprouvez aucune pitié pour ses victimes ou parce que c'est vous qui avez tué tous ces braves gens ?

— Mais qu'est-ce que vous racontez ?

— Non ? En êtes-vous bien sûr ?

— Mais vous déraillez !

— Et Annie Davis ! N'avez-vous pas souhaité sa mort au parking du centre commercial ?

— Qui vous a dit… mais qui êtes-vous ? Je n'ai tué personne. Vous étiez là, c'est ça ! conclut l'homme, de plus en plus agacé par les assertions de Neumann.

— Bien sûr que vous ne l'avez pas tuée. Mais vous l'avez souhaité ! Et pour votre conscience, c'est du pareil au même, persiste Neumann en haussant le ton.

— Bon sang, mais à quoi jouez-vous Neumann, ne comprenez-vous pas que je suis votre unique porte de sortie !

— Hé ! *Senhor* Neumann, c'est O. K. ? crie la jeune fille qui a cessé de batifoler dans l'eau, inquiète du brouhaha qui lui semble venir de la plage.

— Avez-vous oui ou non souhaité la mort de cette femme ?

— Mais où croyez-vous que tout cela va vous mener ?

— Avez-vous oui ou non souhaité la mort de cette femme, Officier ?

— Mais bien sûr que je l'ai souhaitée ! Qui ne l'aurait pas souhaitée !… Haaaaaaaa !

Vaincu, l'homme s'effondre sur le dos. Ne sentant plus le canon froid sur sa nuque, Neumann se retourne aussitôt. Voyant l'homme étendu sur le sable, il saisit le revolver et le pointe sur son adversaire. Il peut enfin voir le visage du mystérieux inconnu. Il reconnaît l'homme qui l'observait sur la plage le matin même. Mais ce dernier râle et semble souffrir d'une douleur à la poitrine. Neumann jette alors l'arme un peu plus loin, retire sa veste en toute hâte, la roule en boule et glisse sous sa tête le coussin improvisé. Puis il esquisse un mouvement pour se lever, mais l'homme lui saisit le poignet.

— Ne partez pas, supplie-t-il en s'agrippant convulsivement à Neumann, le visage crispé par la souffrance, mais toujours avide de savoir.

— Vous étiez là au parking ? demande-t-il.

— Vous êtes officier à Sharonneville, c'est bien ça ? Comment vous appelez-vous ? demande gentiment Neumann, qui comprend que l'homme n'en a plus pour longtemps.

— Bob, Robert Conway, murmure le mourant.

— Hé ! Est-ce que tout va bien ? crie la jeune fille qui commence à s'affoler.

— Tout va très bien, ne vous inquiétez pas. Continuez à vous amuser ! hurle Neumann. Tout va très bien, répète-t-il tout bas. Quand j'ai réalisé tout à l'heure que vous étiez l'homme que j'ai croisé sur la plage ce matin, je me suis rappelé vous avoir vu à Sharonneville et peut-être même ailleurs. Oui, j'étais bien sur le parking ce jour-là, acquiesce Neumann.

— C'est bien vous qui avez tué tous ces gens, n'est-ce pas ? Ne tuez pas cette pauvre fille, articule avec peine Conway dans une requête ultime.

Neumann plonge son regard dans le regard angoissé de Conway, toujours hanté par le mystère qui entoure l'homme qu'il poursuit depuis dix ans.

— Bien sûr que je me souviens de Bill. Comment pourrais-je l'oublier ? Mais ça restera à jamais un secret entre vous et moi… du moins pour l'instant. Vous êtes un excellent policier, Bob, avoue Neumann avec un triste sourire qui rend hommage à l'admirable carrière du shérif adjoint.

— Votre théorie, je n'ai jamais rien lu d'aussi pur, d'aussi vrai… Mais votre façon de l'appliquer… Vous n'aviez pas le droit ! Tout cela n'est que déni, vous auriez dû le comprendre… C'est un beau gâchis… Bill n'en

70

valait pas la peine. Regardez ce que vous êtes devenu ! Si seulement quelqu'un avait pu vous éviter tout ça… J'aurais dû l'arrêter avant… J'aurai dû vous arrêter.

Conway lâche alors le poignet de Neumann et tend le bras vers le revolver. Surpris, Neumann n'a pas le temps de réagir. Mais l'arme est trop loin et Conway n'a plus la force de se soulever pour l'atteindre. Neumann se lève, ramasse le revolver, retourne au chevet du moribond, place l'arme dans le creux de sa main et referme ses doigts autour de la crosse. Malgré sa stupéfaction, Conway pointe aussitôt le canon vers Neumann. Impassible, ce dernier ne bronche pas et attend la suite. Conway le regarde intensément, puis d'un geste du pouce, désarme le chien et baisse lentement le bras. La douleur reprend ses droits et irradie dans tout son corps qui se recroqueville. Le policier émet un dernier souffle et rend l'âme.

7

Mardi 10 h, à l'université de Boston…

Dans le gymnase, de jeunes étudiants s'affrontent au basket-ball. D'un côté les dossards rouges et, de l'autre, les bleus. Dans la zone offensive, un dossard bleu attend désespérément que son coéquipier lui fasse une passe. Il la reçoit enfin et drible aussitôt en direction du panier, contourne habilement un adversaire, s'élance et dépose délicatement le ballon dans le filet sans même accrocher le cerceau. Le jeune homme atterrit avec un sourire triomphant. Deux de ses coéquipiers accourent et lui frappent dans la main, pendant que les rouges s'emparent du ballon et repartent derrière la ligne pour un nouveau jeu.

À cet instant précis, Seward entre dans l'enceinte sportive. Il la balaie du regard et jette enfin son dévolu sur un homme aux cheveux grisonnants vêtu d'un survêtement, assis dans les gradins un carnet à la main. Seward se dirige vers lui.

— Pardonnez-moi. Agent spécial Simon Seward du FBI, l'aborde-t-il en dégageant à peine son badge de son étui.

— Oui ? répond l'homme, stupéfait de se faire interpeller par un policier.

— Vous êtes enseignant ?

— Pas vraiment, je suis un ami de l'entraîneur de basket et je prends des notes pour lui. Vous voyez l'homme près de la ligne rouge, c'est lui, bafouille-t-il intimidé.

— Connaissez-vous les étudiants ?

— Bien sûr, je les connais tous.

— Le nom de Blair Dexter vous dit-il quelque chose ?

— Oui. Il est là sur le terrain. Il porte un dossard bleu... le numéro quatre. Le voyez-vous ?

— Oui, merci. Est-ce qu'ils en ont encore pour longtemps ?

— Ils terminent à dix heures. D'ailleurs, ils devraient déjà avoir terminé, s'étonne l'homme en consultant sa montre.

Au même moment, l'entraîneur marque la fin des hostilités par un long coup de sifflet. Les élèves en bleu se félicitent pendant que les rouges se dirigent tranquillement vers les vestiaires. Seward s'approche des bleus restés sur le terrain et s'enquiert de l'étudiant. Cette fois, il prend bien garde de ne pas exhiber sa plaque pour éviter d'attiser l'imagination des jeunes gens qui, à cet âge, ont le génie de faire courir des rumeurs, même les plus farfelues.

— Pardon, Blair Dexter ?

— Oui ! répond le jeune homme, surpris devant son interlocuteur en manteau et costume-cravate, tenue assez insolite pour un gymnase.

— J'aimerais vous parler un instant, poursuit Seward en pointant du doigt un coin isolé.

Bien qu'ils aient l'air d'avoir le même âge, Seward en impose à Dexter qui le suit sans hésiter. Une fois à l'écart, il sort son insigne aussi discrètement qu'il l'a fait un peu plus tôt dans les gradins.

— Je m'appelle Simon Seward. Je suis du FBI. J'aimerais vous poser quelques questions, si vous n'y voyez pas d'inconvénient. Ça ne prendra que quelques minutes.

— D'accord.

— Est-ce que le nom de Robert Conway vous dit quelque chose ? entame habilement Seward pour tester l'honnêteté de Dexter, sachant déjà que la réponse est oui.

— Attendez que je me souvienne… Non ! Ce nom ne me dit rien.

— En êtes-vous bien sûr ? Le nom du shérif adjoint Robert Conway ne vous dit rien du tout ?

— Non, vraiment pas.

Tel un prestidigitateur, Seward sort de la poche de son manteau une photo de Conway et la tend à l'étudiant.

— Vous n'avez jamais vu cet homme ?

— Oui ! Je l'ai vu… vendredi dernier, je crois… oui, c'est ça !

— Il ne vous a pas dit qui il était?

— Oui, il m'a dit qu'il était un policier de Boston.

— Un policier de Boston? s'exclame Seward en sortant son calepin de notes.

— Oui, c'est bien ça! Mais il s'est présenté sous un nom différent.

— Il ne vous a pas dit s'appeler Robert Conway?

— Non, je ne me rappelle plus quel nom il m'a donné, mais ce n'était pas celui-là.

— Il ne vous a pas montré sa plaque?

— Oui, mais je ne l'ai pas regardée. Il me l'a montrée rapidement... un peu comme vous. D'ailleurs, je n'ai pas bien regardé la vôtre non plus, avoue candidement Dexter.

Seward soupire discrètement en contemplant le plancher.

— Que voulait-il?

— Il m'a demandé si je connaissais Jennifer Robert.

— Qui?

— C'est une étudiante qui est morte sur le campus il y a deux semaines, l'informe Dexter en baissant la tête, encore sous le choc.

— Que lui est-il arrivé?

— Elle s'est jetée par la fenêtre de sa chambre.

— Elle louait une chambre ici?

— Oui.

— Que vous a-t-il dit d'autre?

— Rien... Non... Oui! Attendez, ça me revient! Il voulait savoir si je croyais que c'était un suicide.

— Et vous le croyez?

— Je ne sais pas, je ne sais vraiment pas, répète Dexter, troublé.

— Pourquoi Conway s'est-il adressé à vous ? Elle était de votre famille ? C'était votre petite amie ?

— Non, je venais à peine de la rencontrer. Elle suivait le même cours de psychanalyse que moi.

Seward arrête d'écrire et relève la tête.

— De quel cours s'agit-il ?

— Du cours *Psychanalyse animale* donné par le professeur Neumann.

Seward est stupéfait.

— Conway vous a-t-il posé d'autres questions ?

— Non, pas que je me souvienne.

— En êtes-vous certain ?

— Oui.

— D'autres policiers vous ont-ils rencontré ?

— Non, répond Dexter.

— Est-ce qu'il y a quelque chose d'autre que vous voudriez me dire ou que je devrais savoir ?

— Non… Enfin, oui ! Est-ce que vous êtes au courant qu'il y a trois étudiantes qui ont été retrouvées mortes au musée des Sorcières de Salem samedi.

— Oui, je sais. Savez-vous quelque chose là-dessus ?

— Non. Je voulais simplement vous en aviser.

— En terminant, est-ce que Conway vous a dit d'où il venait et où il allait avant de vous quitter ?

— Non, il ne m'a rien dit du tout, je suis désolé, répond Dexter, déçu de ne pas pouvoir aider davantage Seward dans son enquête.

— Ce n'est pas grave.

Le policier plonge la main dans la poche de son veston.

— Tenez, voici ma carte. N'hésitez pas à me téléphoner si la mémoire vous revient ou si vous souhaitez vous confier à moi.

Dexter saisit la carte de Seward, puis les deux hommes se dirigent vers le couloir. L'un prend la direction des vestiaires et l'autre, celle de la sortie.

*

* *

Quelques minutes plus tard, Seward frappe à la porte de la chambre de Jennifer Robert.

— Oui, un instant! répond une voix féminine tout éraillée.

Au bout d'un moment, la porte s'entrouvre sur une jeune fille blême.

— Oui?

— Bonjour, je m'appelle Simon Seward, je suis du FBI. Puis-je vous parler quelques minutes, Mademoiselle? demande-t-il, son insigne à la main.

— Oui, entrez.

— Vous êtes?

— Je m'appelle Ali Morgan. Je peux vous écouter, mais je n'ai plus rien à dire, lui répond la jeune fille d'un ton las.

La jeune étudiante l'invite à passer au salon.

— Merci, je ne serai pas long, accepte Seward en pénétrant dans le petit logement.

Il attend que son hôtesse s'assoie avant d'en faire autant.

— Je m'intéresse à la mort de Jennifer Robert. Est-ce que vous…

Ali se lève d'un bond, les deux mains ouvertes devant elle.

— Je vous arrête tout de suite, Monsieur! Je ne suis plus capable et je viens de vous dire que je n'ai plus rien à rajouter là-dessus.

— Mais de quoi parlez-vous? Je ne vous ai jamais rencontrée, Mademoiselle!

— Je suis passée au poste de police ce matin et j'ai tout raconté concernant la mort de cette pauvre Jennifer et de ces trois… étudiantes à Salem. J'ai fait une déposition complète, en compagnie d'un avocat. Alors…

— Quoi! Vous étiez à Salem le soir des meurtres? Vous avez vu le meurtrier? s'exclame Seward en bondissant sur ses deux pieds, sourd à la détresse de son hôtesse.

Ali sent la rage monter en elle. Elle dénoue fébrilement le foulard qu'elle porte à son cou et le retire, dévoilant ainsi sous les yeux horrifiés de l'agent une ligne tuméfiée qui entoure sa gorge.

— Vous voyez cela? dit-elle en pointant du doigt l'affreuse marbrure.

— On dirait une marque de strangulation, répond Seward, qui oublie un instant son enquête face à la souffrance de la jeune fille.

— Une corde… Une corde que ces trois… m'ont passée au cou. Vous voyez l'auriculaire de ma main droite? Et bien, je ne le sens plus… mais ne soyez pas désolé, je ne devrais pas garder de séquelles d'après les médecins. Et ma voix devrait se rétablir, raconte Ali avec un trémolo. Tout ce dont je me souviens, c'est d'avoir entendu crier. Puis les cris ont cessé. J'étais comme sur un nuage et une ombre, un fantôme, un monstre, appelez-le comme vous voulez, s'est approché de moi, m'a décrochée et a commencé à me donner la respiration artificielle. Quand je me suis mise à tousser, il m'a couchée sur le côté. J'étais tellement effrayée que j'étais totalement paralysée. J'ai alors senti une main caresser mes cheveux et je me suis endormie comme un bébé. À mon réveil, au petit matin, il y avait trois cadavres à côté de moi. Je n'arrivais pas à croire que j'étais encore en vie. Je me suis relevée avec peine et j'ai couru, couru, raconte Ali en larmes. Alors non ! Je n'ai pas vu le meurtrier. Et quand bien même… Non !

Ému et ébranlé par le récit poignant de la jeune fille, Seward se dirige silencieusement vers la porte et tourne la poignée. Ali, les joues inondées de larmes, se retourne vers lui et le rappelle. Seward s'arrête, face à la porte.

— Officier ! Vous ne comprenez pas n'est-ce pas ? Vous n'avez jamais été de ce côté de la barrière. Encore une pauvre victime souffrant du syndrome de Stockholm. Si seulement cela était vrai, tout serait beaucoup plus facile pour moi. Je ne sais pas si je veux vous souhaiter bonne chance, Officier, mais vous en aurez besoin.

Incapable d'ajouter un mot, Seward quitte l'appartement et referme la porte.

*
* *

Seward longe le couloir à pas rapides. Il aperçoit des toilettes, entre et s'arrête au premier lavabo. Il ouvre à fond le robinet d'eau froide et s'asperge le visage à deux mains. L'eau froide le calme. Il prend de l'essuie-main, s'éponge et se regarde un instant dans la glace. Puis il sort du bâtiment et arrête le premier étudiant qu'il rencontre.

— Pardon, je cherche le poste de police.

— Il est à deux coins de rue d'ici... à environ dix minutes de marche. Vous ne pouvez pas le manquer, le renseigne gentiment le jeune homme.

— Merci.

Seward presse le pas et entre dans le Bureau des forces de l'ordre. Après les présentations d'usage, il demande la déclaration d'Ali Morgan. Il se trouve un coin tranquille et prend connaissance du dossier. Ali n'a rien caché de cette histoire, de la jalousie d'Elizabeth envers Jennifer en passant par ses senti-ments de culpabilité face à la mort de cette dernière, jusqu'à sa propre pendaison dans le musée des Sor-cières de Salem. Cependant, comme elle vient de le lui avouer à mots couverts, sa déposition confirme qu'elle n'a pas l'intention d'aider la police à mettre la main sur le tueur. Elle y affirme qu'elle n'a jamais pu voir l'agresseur et qu'elle ne pourrait même pas dire s'il s'agit d'un homme ou d'une femme étant donné qu'elle était dans un état comateux au moment des évènements.

*
* *

13 h, sur le parking d'un restaurant de Boston…

Seward retourne vers sa voiture, muni d'un café et d'un sandwich. Il s'assoit derrière le volant, retire le couvercle du verre et installe le café encore fumant sur le tableau de bord. Il déballe le sandwich et y mord à pleines dents. La nourriture le réconforte. Il aperçoit le livre de Neumann. Il dépose son sandwich ouvre le bouquin au hasard et entreprend la lecture d'un passage. Tenant le livre d'une main, il sirote son café de l'autre en poursuivant sa lecture dans l'espoir d'y trouver la réponse à l'énigme qui le hante.

Quand la mouche Cécidomyidée *se reproduit par parthénogenèse, la femelle ne pond pas d'œufs. Ses petits se développent dans un funeste festin matricide à même ses tissus et ses entrailles. Ils dévorent petit à petit leur mère, celle-là même qui leur a donné la vie, sans la moindre pitié, et ce n'est que lorsqu'elle sera réduite à l'état de carapace par ses rejetons voraces qu'elle aura accompli le chef-d'œuvre de la vie…*

Le téléphone vibre dans son veston. Absorbé par sa lecture, Seward imagine d'horribles bestioles en train de le dévorer. Il sursaute, renverse du café bouillant sur sa main et laisse tomber le livre de Neumann en hurlant. Il repose prestement son café sur le tableau de bord, ramasse un essuie-tout et éponge nerveusement sa main ébouillantée tout en répondant à l'appel qui est la cause de tout ce tumulte.

— Agent Seward !

— Simon, c'est Nicole.

— Ça va ?

— Oui, il y a du nouveau. Il y en a même pas mal. Je ne sais plus par où commencer.

— Alors, commence par le commencement, conseille Seward avec sagesse.

— De ton côté, as-tu trouvé quelque chose ? questionne Jarvis qui cherche à gagner du temps pour se remettre les idées en place.

— Oui, mais vas-y en premier, c'est plus ou moins important.

— Bon… Ah oui ! *Iceman Killer* n'a pas tellement aimé notre visite. Il est mort.

— Quoi ?

— Il s'est éclaté la tronche contre le mur de béton de sa cellule.

— Quoi ?

— Apparemment, il était pas mal énervé quand les gardiens l'ont reconduit à sa cellule après notre interrogatoire. Ils venaient à peine de tourner les talons lorsqu'ils ont entendu un hurlement, suivi d'un bruit sourd. Et puis plus rien. Ils l'ont transporté immédiatement à l'infirmerie, mais il était déjà trop tard.

— Non ! ce n'est pas vrai… Castelli ne sera pas fier de nous. Qu'est-ce qu'on va prendre !

— T'occupe, ce n'est rien, attends la suite. Bob a été retrouvé mort ce matin sur une plage à Rio.

— Quoi ?

— Oui, il est mort cette nuit, d'après les autorités locales. Enfin, notre médecin légiste pourra le confirmer quand on récupérera le corps…

— C'est Neumann qui l'a tué ! accuse le policier en chiffonnant son essuie-tout.

— Mais non, Simon, il est mort d'une crise cardiaque.

— Tu veux rire !

— Je sais, c'est tout bête, mais c'est comme ça.

— Ils sont certains qu'il s'agit bien de Bob ?

— Oui. Au consulat, ils sont formels. Ils nous ont envoyé sa photo et, de toute façon, ils étaient au courant qu'on avait émis un avis de recherche à son nom. Non, il n'y a aucun doute, Simon. Il s'agit bien de Bob. Un employé de l'hôtel où il séjournait a même raconté l'avoir trouvé étendu sur le sol de sa chambre hier soir. Selon lui, Bob a refusé de voir un médecin et il est mort quelques heures plus tard. Apparemment, on n'a découvert aucune marque de violence nous permettant de croire à un homicide.

— Et pour Neumann, on a des nouvelles ? s'entête Seward en prenant tantôt une bouchée de sandwich, tantôt une gorgée de café.

— Justement, j'y arrivais. Jamison doit nous rencontrer dans quelques minutes pour faire le point. Mais...

— Mais quoi, Nicole ?

— Bien... Bob était notre principal suspect.

— Alors...

— Alors, avant de continuer à enquêter sur Neumann... Castelli m'a confié que Jamison risquait de ne plus être très chaud à cette idée. D'autant plus que ces derniers temps, notre tueur a agi de façon plutôt compulsive en trucidant une série de personnes dans une si courte période. Tu sais ce que ça veut dire ?

— Jamison ne fera pas ça.

— Voyons, Simon ! Mardi dernier, quand nous étions chez les Davis à Sharonneville, tu en avais toi-même déduit que le tueur agissait comme s'il sentait sa fin proche. Pense un peu : Bob est mort foudroyé par une crise cardiaque. De plus, il travaillait à Sharonneville et c'est lui qui a découvert le cadavre de Ralph Lebb, le petit ami pédophile d'*Iceman*. Qui plus est, il a avoué qu'il l'avait pris en grippe et filé depuis des années. Dans ces circonstances, Jamison et les analystes du BSU en arriveront probablement aux mêmes conclusions que toi. Notre grand chef aura donc scrupule à lâcher les chiens sur Neumann sans de nouveaux évènements ou de nouvelles victimes.

— Et qu'est-ce qu'on fait maintenant ?

— Je n'ai pas encore fini. Tu te rappelles m'avoir dit au téléphone samedi soir dernier que tu croyais que le sang retrouvé sur le fouet du couple Davis Lucas était celui de la fillette d'Annie Davis.

— Tu parles si je me le rappelle ! Continue ! la presse Seward en engloutissant sa dernière bouchée de sandwich.

— Eh bien, Denis m'a appelée. Ils ont comparé l'ADN de la mère à celui des traces de sang recueilli. Il coïncide à cinquante pour cent. Donc…

— Donc, c'est qu'il s'agit de celui d'un de ses parents, ou encore de celui de sa fille ! jubile Seward avant d'ingurgiter sa dernière gorgée de café.

— J'en ai parlé à Castelli. Il m'a demandé d'aller à l'orphelinat voir si l'on pouvait effectuer un prélèvement de salive et de cheveux sur la petite pour comparer avec nos résultats. Cela serait légal et pourrait asseoir notre enquête. Bien sûr, ça ne prouverait rien, pas même que la fillette subissait des châtiments corporels, mais enfin. Castelli veut quand même connaître la réaction de la direction de l'orphelinat à tout hasard. Ce qui veut dire...

— Ce qui veut dire qu'ils n'écartent pas totalement mon hypothèse concernant Neumann, complète Seward, triomphant.

— Et voilà !

— Quand dois-tu y aller ?

— J'ai obtenu un rendez-vous vendredi avec Madame Darc elle-même. Elle m'a raconté que, chaque automne, elle passait une semaine ou deux avec les enfants dans une résidence de Neumann à Washington pour les changer d'air. Elle a ajouté que je n'aurais même pas à me déplacer, qu'elle allait se présenter en personne au *labo* avec la fillette.

— C'est parfait !

— Pour finir, Neumann arrive ce soir à Washington sur le vol 925 dont l'arrivée est prévue à 22 h 50.

— Si je pars tout de suite, j'ai largement le temps d'y être...

— Hé ! Mais de quoi parles-tu, qu'est-ce que je viens de te dire, Simon ?

— Oui ! C'est vrai qu'il n'est pas question de faire quoi que ce soit pour l'instant.

— Tu n'as pas intérêt à faire l'imbécile ! Il n'a jamais été question d'interpeller Neumann, pas même

de s'en approcher. Ne fais pas l'idiot. Compris, Simon ?
J'attends une réponse !

— Oui, oui. Tu as raison.

— C'est bien. Et toi qu'est-ce que tu as appris ?

— Apparemment, il y a une Jennifer Robert qui serait morte et qui suivait également le cours de Neumann.

— L'étudiant à qui j'ai parlé l'autre jour à l'université de Boston m'a dévoilé que Dexter était troublé par le suicide d'une jeune fille. Est-ce que tu crois qu'il s'agit de la même fille ?

— Oui, c'est bien ça. Mais attends, il y avait une quatrième fille présente à Salem le soir des meurtres, une certaine Ali Morgan.

— Quoi ? Est-ce qu'elle est morte ? Pourtant, le rapport ne mentionne que trois cadavres.

— Non, elle est bien en vie. J'ai même pu lui parler.

— Elle a vu le tueur ?

— Elle n'a rien vu. Mais elle a fait une déposition de son plein gré ce matin au poste de police. J'en ai obtenu une copie.

— C'est elle qui les aurait tuées ?

— Négatif ! Oublie ça ! Elle ne ferait pas de mal à une mouche.

— J'ai déjà entendu un de nos collègues dire ça en 1990... Attends voir... de... Ah oui ! D'une certaine Karla Homolka.

— Non, ça n'a rien à voir. Cette fille n'a rien d'une psychopathe. Disons qu'elle aura eu une leçon pratique sur l'importance de bien choisir ses amis qu'elle n'est pas prête d'oublier.

— Tu as pu rencontrer Blair Dexter ?

— Absolument. Il a bien vu Bob vendredi dernier, comme tu l'avais dit. Mais Bob ne s'est pas présenté sous son vrai nom. Il s'est fait passer pour un policier de Boston. Il a posé bien des questions sur la mort de cette Jennifer Robert.

— Pourquoi ?

— Je crois qu'il pensait que c'était Neumann qui l'avait tuée.

— Pourquoi ne s'est-il pas présenté sous son vrai nom alors ?

— Peut-être qu'il désirait éviter que Neumann puisse l'apprendre. Qu'un policier de Boston questionne un étudiant sur la mort d'une fille du coin, c'est normal, mais un shérif de Sharonneville…

— À moins que Bob ne cherchât qu'à tâter le pouls de l'entourage de la victime pour savoir si les gens le soupçonnaient. Le célèbre tueur en série Ted Bundy aidait bien les policiers à rechercher les corps de ses propres victimes.

— C'est sûr, Nicole. Mais non, si j'en crois la déposition d'Ali Morgan, il s'agit plutôt d'une triste histoire entre jeunes filles qui a très mal tourné. Bon, je te laisse, je dois reprendre la route si je ne veux pas rentrer trop tard.

— C'est bon, à plus tard.

Seward démarre en trombe.

— J'ai amplement le temps, se dit-il à haute voix en s'engageant dans la circulation.

8

22 h 45, à l'aéroport Dulles, Washington D. C...

Neumann arrive au poste de douane, une valise à la main. Il expédie les formalités d'usage et se dirige vers sa voiture, une Caprice classique marine qu'il a garée là le samedi soir précédent. La soirée est chaude et sans le moindre vent. Il traverse le parking sous le seul éclairage des étoiles scintillantes. Après avoir déposé sa valise dans le coffre arrière, il se glisse derrière le volant et démarre. À peine a-t-il franchi le poste de péage qu'un véhicule le prend en chasse. Il s'agit de Seward qui, deux heures plus tôt, n'a eu aucun mal à dénicher sa voiture et a décidé de faire le guet devant l'aérogare.

Neumann s'engage dans l'échangeur, puis file sur l'autoroute. Seward ne le lâche pas d'une semelle. Pour éviter de se faire repérer, il ralentit et laisse passer quelques voitures. Au bout d'un moment, le feu clignotant de la voiture de Neumann indique qu'il compte prendre la prochaine sortie. Seward s'apprête à en faire autant, mais suspend aussitôt son geste. Il vient de se rappeler que, dans toute filature, il ne faut surtout pas signaler ses intentions, car si l'individu se doute qu'il est suivi, il peut donner de fausses indications.

À quelques mètres de la sortie, Neumann commence à bifurquer sur la bretelle, mais subitement, il réintègre la circulation à vive allure. Seward en a des sueurs froides. Il s'en est fallu de peu que Neumann le force à abandonner sa poursuite. Il frappe le volant de la paume de la main et le laisse reprendre de l'avance. Il ne sait plus quoi penser. Trois hypothèses lui viennent à l'esprit : soit Neumann l'a repéré, ce qui l'obligerait à interrompre la filature, soit il est allé à la pêche pour vérifier s'il est suivi, soit il s'est tout simplement trompé de sortie. Cette dernière hypothèse lui semble la plus probable, car Neumann, en tant que résidant de Boston, est en terrain relativement inconnu à Washington. Mais il ne peut s'empêcher de douter et se mord les lèvres en voyant les phares de la Caprice classique s'éloigner sur l'autoroute.

— Tant pis ! se dit alors le policier, déterminé à risquer le tout pour le tout.

Il dépasse le véhicule qui lui servait d'écran, double une seconde automobile, puis une troisième. Plus qu'une seule voiture le sépare de celle de Neumann. Il voudrait bien se ranger derrière, mais elle ne roule pas assez vite. Soudain, Neumann accélère de nouveau, le distançant un peu plus. Seward se demande s'il s'agit d'une tactique pour le forcer à prendre de la vitesse à son tour, mais il comprend qu'il n'a plus le choix. S'il ne veut pas abandonner sa poursuite, il doit aller jusqu'au bout. Il double la voiture qui les sépare et se range derrière Neumann. Il maintient une distance confortable, espérant qu'il s'agisse plutôt d'un hasard que d'un piège.

Soudain, une voiture surgit sur sa gauche. Concentré sur sa filature, Seward a négligé de regarder dans son rétroviseur. Il tourne la tête et aperçoit l'automobiliste qui lui fait signe. Il comprend que ce dernier tente désespérément de le dépasser, mais que son moteur n'est pas assez puissant. Seward tourne son regard vers la voiture de Neumann, puis reporte son attention vers l'homme, toujours à sa hauteur. Il remarque son air anxieux. L'homme tente d'accélérer davantage, mais n'arrive pas à gagner un seul centimètre. Seward jette alors un coup d'œil vers son angle mort.

— Putain de merde ! s'écrie-t-il à la vue d'un mastodonte qui fonce à toute allure vers la petite voiture.

Il freine et ses pneus crissent sur le bitume. La voiture a tout juste le temps de se ranger devant Seward. Le camionneur les dépasse à vive allure et, comme si la scène n'était pas assez éprouvante pour les deux automobilistes, il actionne son formidable klaxon.

Seward reprend ses esprits et aperçoit au loin la voiture de Neumann qui clignote vers la droite. De nouveau, elle s'engage sur une bretelle, mais cette fois, Neumann emprunte la courbe pour accéder à la sortie. Seward colle au train de la petite voiture qui a atteint son maximum de puissance.

— Allez ! Allez ! Avance !

Il ne peut le doubler par la gauche et lui faire une queue de poisson sans risquer d'attirer l'attention. Il est tenté par l'idée de dépasser la voiture par la droite en louvoyant sur le bas-côté, mais il sait la manœuvre dangereuse et décide de maintenir une distance prudente pour ne pas attirer l'attention.

Il voit au loin s'allumer les feux stop et en déduit que Neumann vient de freiner au bout de la bretelle de sortie. Ce dernier clignote à gauche avant de disparaître sous le viaduc. Seward n'a plus le choix. Il appuie à fond sur l'accélérateur et roule sur l'accotement pour dépasser la petite voiture. La bande rugueuse maugrée son désaccord dans un vrombissement assourdissant. Il s'engage enfin dans la bretelle à son tour. Puis il négocie la courbe à vive allure, jette un rapide coup d'œil des deux côtés et fonce à gauche en faisant fi du panneau de signalisation qui lui indique de céder le passage. Une voiture arrive sur sa gauche. Le chauffeur freine pour éviter le pire et manifeste son mécontentement en maintenant sa main sur le klaxon. Seward traverse le viaduc à pleins gaz, mais Neumann a disparu. Il enrage, car la route se divise en deux. L'une bifurque vers la droite et l'autre continue tout droit. Mais pas la moindre trace du fugitif. Il ralentit et constate que la route à droite longe l'autoroute. Au loin, il entrevoit des feux rouges arrière, mais ils sont trop rapprochés et trop inclinés pour être ceux de Neumann. Ils semblent plutôt appartenir à une voiture japonaise.

Seward réalise qu'il est à la frontière d'un quartier résidentiel. Il s'engage prudemment sur la route lorsqu'il aperçoit Neumann sortir d'une station-service. Il a les mains vides et sa voiture n'est pas garée devant une pompe. Seward en déduit qu'il ne s'y est arrêté que pour consommer sur place, téléphoner, aller aux toilettes ou simplement demander son chemin. Pendant qu'il se perd en conjectures, Neumann réintègre son véhicule et reprend aussitôt la route.

— Merde ! Il n'a pas arrêté son moteur ! s'écrie le policier. Il n'a donc fait que demander son chemin.

Il sait qu'il serait plus avisé d'aller s'enquérir auprès de l'employé de la station-service de la destination de Neumann. Mais il est trop excité et il choisit de le suivre dans le quartier résidentiel. Sous l'effet de l'adrénaline, il talonne le fugitif sans réfléchir que la filature de nuit dans une paisible banlieue est la plus difficile à exécuter.

Neumann dépasse une intersection, puis une deuxième et une troisième, avant de tourner à droite. Seward, qui ne le quitte pas des yeux, pénètre à toute vitesse dans le quartier, croise les trois rues, éteint ses phares et s'arrête au coin de la quatrième. Il sort de son véhicule et se rend à pied jusqu'à l'angle d'une maison d'où il pourra voir les feux arrière de la voiture de Neumann. Ce dernier bifurque à gauche. Seward réintègre promptement son véhicule, rallume ses phares et démarre en trombe.

Le policier fonce maintenant sur une large avenue résidentielle. Il ne voit plus la moindre lueur de feux arrière à l'horizon. Il croise deux intersections en inspectant les alentours, mais tout est désert. Seward ralentit, comprenant qu'il a perdu la trace de Neumann.

— Ah ! Ce n'est pas vrai !

Il roule sans plus y croire quand il aperçoit deux adolescents. Un garçon en équilibre sur une bicyclette semble faire la cour à une jeune fille qui, pieds nus dans l'herbe, écoute son prétendant. Elle paraît plus amusée par le fait d'être courtisée que par le propos. Seward s'arrête à leur hauteur, baisse la glace et brandit son badge avec un large sourire pour apprivoiser les jeunes qui, à cet âge, se sentent facilement persécutés par l'autorité.

— Bonsoir, je m'appelle Simon, je suis du FBI. Vous n'auriez pas vu passer un véhicule comme le mien, il y a à peine une minute ?

Le jeune homme se contente de hausser les épaules tout en continuant de jouer avec le guidon de sa bicyclette. La jeune fille, plus éveillée, pointe du doigt la route juste devant elle.

— Il est parti par là ! l'informe-t-elle fièrement, un large sourire aux lèvres.

Seward regarde dans la direction indiquée et constate que la route n'est pas très longue et qu'elle se termine sur une forêt. De leur position, on aperçoit clairement le stop.

— Est-ce qu'il s'est arrêté à l'une des maisons ou il a poursuivi sa route ?

— Il a tourné à gauche à l'intersection.

— Merci beaucoup. Il se fait tard, vous habitez près d'ici, j'espère ?

— J'habite ici même, répond la jeune fille, heureuse de l'intérêt que lui porte le policier.

— Faites attention à vous. Merci.

Seward reprend sa route, marque le stop et s'engage lentement dans la rue bordée à droite par la forêt et, à gauche, par une rangée de maisons. Il roule en inspectant chacune des voitures garées dans les allées. Devant l'une des dernières maisons, il aperçoit enfin une Caprice identique à celle qu'il recherche. Il fait marche arrière et range sa voiture le long du trottoir. Il sort du véhicule, regarde en direction des deux adolescents et constate qu'ils ont disparu. Seward se hâte vers la maison où est garée la voiture qu'il présume être celle de Neumann. Parvenu à sa hauteur, il remarque de la lumière à l'étage. Il vérifie la plaque d'immatriculation. C'est bien elle. Seward est fou de joie. Il contourne la voiture jusqu'à la maison quand il aperçoit par la fenêtre la silhouette de Neumann qui monte un escalier. Puis il entend des bruits de pas de course. Il sort son arme et s'élance vers la porte d'entrée, tourne la poignée et constate que la porte n'est pas verrouillée. Il se rappelle que, partout où ils ont découvert des cadavres, les portes n'étaient jamais verrouillées et ne portaient aucune marque d'effraction. Il pénètre dans la maison. Le hall d'entrée est splendide et accueille les visiteurs dans une douce lumière tamisée. Seward se demande s'il doit appeler des renforts, mais des cris d'enfant à l'étage supérieur mettent fin à ses tergiversations. Il se précipite vers l'escalier et entend la voix douce et rassurante d'une femme.

— Allez, viens dans mes bras, ma chérie, que je te fasse un gros câlin !

Ne comprenant plus ce qui se passe, Seward s'arrête et baisse son arme. Il entend alors une voix d'homme.

— Laissez, je m'en occupe !

L'homme s'avance vers l'escalier. Seward sait qu'il doit fuir sans plus tarder, mais il constate que le couloir menant au hall est très long et qu'on l'apercevra sûrement du haut de l'escalier, avant qu'il n'atteigne la porte d'entrée. Il a tout juste le temps de repérer, sous les marches, une porte étroite et mince. En haut, l'homme se rapproche de plus en plus. Seward tourne la poignée. Fort heureusement, la petite porte s'ouvre sans émettre le moindre son. Seward s'enfonce derrière la porte qu'il referme aussitôt. Les marches craquent au-dessus de sa tête. Le rythme plus lent de la descente lui permet de déduire qu'il doit s'agir d'une femme, bientôt suivie de petits pas qui dévalent l'escalier.

— Pas si vite, tu vas tomber! recommande gentiment la femme qui arrive au rez-de-chaussée.

Puis des pas lourds et bien cadencés entreprennent la descente à leur tour.

— Vous êtes certain que vous ne voulez pas passer la nuit ici, Professeur? insiste la dame.

— Non, merci. Comme je vous l'ai déjà dit, je dois me lever tôt demain. Et j'ai encore des tas de choses à faire cette nuit, décline Neumann en déposant une valise sur le marbre du hall d'entrée.

— Ne me dites pas que vous êtes un oiseau de nuit, je n'en croirais rien! Vous allez quand même accepter un verre ou une tasse de thé avant de partir. Cela vous fera le plus grand bien.

— Vous êtes si avenante... je boirai volontiers une tasse de thé.

— Vous me faites vraiment plaisir, Professeur.

— Appelez-moi Auguste.

— Non, je n'oserai jamais.

— À votre convenance.

— Mamie ! Mamie ! sollicite la fillette en s'agrippant au bas de la jupe de sa grand-mère.

— Oui, ma chérie ?

— Est-ce que je peux descendre à la cave chercher mon nounours que Monsieur Neumann a réparé ?

Seward ferme les yeux et devient livide.

— Non, voyons, pas tout de suite. Il faut laisser le temps à la colle de bien sécher. Tu iras le chercher juste avant de partir. D'accord ?

— Mais je le veux ! insiste la petite fille.

— Pourquoi pas, il doit être prêt maintenant, répond Neumann.

Seward, qui sent ruisseler la sueur sur son front, s'enfonce plus avant dans l'obscurité. La fillette s'apprête à tourner l'angle de l'escalier.

— Attends, je vais descendre avec toi, offre Neumann en souriant.

Seward pointe son arme devant lui. La fillette arrive en courant vers la porte. Elle dépose sa menotte sur la poignée qui bouge sous les yeux terrifiés de Seward, pendant que de l'autre, elle se tortille une mèche de cheveux.

— Je suis capable d'y aller toute seule !

— Venez avec moi alors, Professeur, invite la femme amusée, en se dirigeant vers la cuisine.

Neumann sourit à la fillette et suit la dame. La gamine lâche la poignée, se rend vers la porte juste en face et l'ouvre. Un mécanisme allume automatiquement le lustre qui éclaire l'escalier qui mène à la cave. Seward entend les deux adultes s'éloigner et la fillette entreprendre sa descente pas à pas, s'arrêtant à chaque marche. Puis plus rien. Il ouvre lentement la porte et s'avance. Il peut observer l'enfant qui essaie de mettre la main sur son ours en peluche perché sur un établi trop haut pour elle. Il se faufile vers la cuisine quand il aperçoit Neumann qui lui tourne le dos. Il bat en retraite et réintègre sa cachette à la vitesse de l'éclair. Il referme la porte en espérant que l'enfant ne l'a pas vu et que personne n'a senti sa présence. Puis il entend la petite fille remonter les marches une à une.

— Mamie! Mamie! Regarde! Regarde! hurle-t-elle en courant vers la cuisine.

— Qu'est-ce qu'il y a, mon poussin?

— Il est réparé! crie-t-elle en brandissant l'ourson.

— C'est très bien, ça. Qu'est-ce qu'il est beau! dit la grand-mère. Et qu'est-ce qu'on dit?

— Merci, Monsieur! chantonne la fillette en se tournant vers Neumann.

— Ça m'a fait plaisir.

— Va jouer dans l'entrée. J'ai à discuter un peu avec Monsieur Neumann, ma puce, demande la dame en déposant un baiser sur le front de la petite.

La fillette repart en courant, passe devant la cache de Seward et se dirige directement vers le hall où elle s'assoit sagement sur la première marche de l'escalier, son ourson sur les genoux. Il n'est plus question pour Seward de tenter quoi que ce soit. Soudain, il perçoit des pleurs et entrouvre doucement la porte. La dame sanglote. Puis il reconnaît un bruit de papier froissé.

— Ça va aller, ça va aller. Je ne veux pas que ma petite-fille entende ça, murmure la dame en séchant ses larmes.

— Vous signez ici, puis là. Je vais m'occuper de tout. Ça se passera tout en douceur, la rassure Neumann qui défroisse la feuille du plat de la main.

— Vous êtes certain qu'elle doit y aller ce soir? demande la grand-mère.

— Oui, ce sera plus facile pour elle. Vous avez bien déjà passé une nuit avec elle là-bas. Maintenant, elle doit y passer une nuit seule. Vous signez une autre fois ici, à côté de la signature de Madame Darc, et ce sera fini.

Résignée, la femme appose une dernière signature et redonne le crayon à Neumann.

— Il ne reste plus qu'à espérer que je ne souffrirai pas trop avant de mourir.

— Soyez sans crainte, je vais m'assurer que vous n'ayez pas à souffrir inutilement, lui promet Neumann en se levant.

Seward se met en position d'attaque, sort la tête hors de sa cachette et jette un œil du côté de la fillette. Rassuré de la voir toujours assise dans l'escalier, il se retourne, mais ne voit plus Neumann. Ce dernier réapparaît, un verre d'eau à la main, et consulte sa montre.

— Je ne voudrais pas être impoli, mais… je dois vraiment y aller maintenant, il est minuit et demi passé. Buvez, ça vous fera du bien.

Seward se retranche vivement dans son terrier.

— Encore une chose, Professeur Neumann… Je sais que vous ne croyez pas en Dieu, mais promettez-

99

moi de lui dire… lorsqu'elle aura de la peine…, que ses parents l'ont toujours aimée et que sa mamie la regarde d'en haut, et qu'elle pourra toujours compter sur elle…, recommande la dame à travers ses sanglots.

Elle s'agrippe au bras de Neumann qui lui caresse doucement la tête.

— Tout va bien aller… je vous le promets.

La dame lâche alors son bras, essuie ses larmes et appelle sa petite-fille.

— Irène! Viens me voir, ma chérie!

La fillette accourt vers sa grand-mère qui l'étreint fébrilement.

— Pourquoi pleures-tu, mamie?

— Je vais porter la valise dans la voiture, dit Neumann avant de quitter discrètement la pièce en refermant la porte de la cuisine derrière lui.

Il repasse dans le hall, ramasse la valise et sort. Puis il revient et s'arrête dans le hall, à la hauteur de l'escalier. Seward est sur le qui-vive et guette le bon moment pour intervenir.

La dame revient enfin en portant la fillette dans ses bras.

— On se revoit demain comme il a été prévu, Professeur?

— Je n'y manquerai pas, soyez-en assurée.

La dame repose la fillette sur le sol et dépose un long baiser sur son front.

— Bonne nuit, ma chérie.

— Bonne nuit, Mamie, répond naïvement la fillette, le sourire aux lèvres.

Neumann lui tend la main.

— Tu viens ?

La fillette attrape la main de Neumann et tous deux quittent le hall sans plus tarder.

— Au revoir ! Au revoir ! scande la grand-mère du perron, pendant que Neumann installe la fillette sur la banquette arrière et s'assoit derrière le volant.

Le véhicule s'éloigne lentement. La dame rentre et ferme la porte à double tour avant de fondre en larmes. Elle éteint la lumière, monte pesamment les marches et se dirige vers la salle de bains.

Seward n'entend plus aucun bruit. Il sort de sa cachette, avance à pas feutrés jusqu'à la porte d'entrée et sort. Il prend soin de vérifier qu'il a bien verrouillé la porte derrière lui avant de filer à toute vitesse vers sa voiture, car il n'a pas l'intention de perdre Neumann de vue. En chemin, il réalise que son véhicule est trop éloigné et que, de toute façon, Neumann peut être n'importe où à l'heure qu'il est.

Le policier réintègre sa voiture, attrape son téléphone portable et appelle Robinson.

— Oui, j'écoute !

— Denis, c'est Simon ! Il faut que je te voie et vite, lance Seward en démarrant.

*
* *

Un peu plus tard dans la nuit...

Neumann roule lentement dans la circulation d'une rue un peu glauque de la capitale américaine.

Au même moment, un homme d'une cinquantaine d'années, portant comme seul vêtement un slip, s'assoit devant son ordinateur et le met en marche. Il se connecte à Internet et tape *proxyanonymous.org*.

— C'est prêt dans dix minutes, Allan ! crie sa femme de la cuisine.

L'homme se lève et se dirige sans faire de bruit vers la porte de son bureau.

— C'est bien, chérie, j'arrive tout de suite. J'ai un truc ou deux à finir, répond-il avant de fermer la porte et de se précipiter devant son écran.

Une série de photos de femmes nues, dans des positions plus explicites les unes que les autres, défilent sur l'écran. Il clique sur l'une d'elles, puis sur une autre et encore une autre. Sur cette dernière, deux jeunes filles se caressent mutuellement les seins. Leurs parties les plus intimes sont brouillées, mais la fragilité de leur ossature et la finesse de leur visage témoignent de leur très jeune âge, ce qui l'excite tout particulièrement. Il s'y attarde longuement. Émoustillé à l'idée qu'il approche du but, il immobilise le curseur sur ce qu'il imagine être, à travers le voile de la photo, le bout du sein de l'une d'elles, ce qui ne manque pas d'aiguiser son appétit. Une étiquette informative apparaît sur laquelle est inscrit « Teens ». Il clique sur le bout du mamelon. Un avertissement lui indique qu'il est maintenant en connexion sécurisée. À l'écran défilent des photos de garçonnets et de fillettes nus, mais dont la totalité du corps est voilée. Au-dessus, une bande *défilante* affiche : « Très jeunes enfants pour fantasmes en tous genres, nous réalisons même vos demandes spéciales. » Sous les photos, un menu est offert à l'internaute. Allan choisit l'option *Adhésion*. Une nouvelle page s'ouvre alors : *Avertissement ! Ce site contient du matériel sexuel explicite qui peut être en violation des lois en vigueur dans votre pays.* Sur ses gardes, Allan décide de vérifier la provenance du site et ouvre une nouvelle fenêtre. Parmi les signets offerts, il sélectionne *Quiestce*. Il vérifie le pays d'hébergement du serveur… Thaïlande. Il est maintenant rassuré. La connexion est sécurisée et préserve la confidentialité des contenus téléchargés ; de plus, le site est hébergé à l'étranger et n'est donc pas sous surveillance policière. Il ferme la dernière fenêtre et retourne au site. Il clique sans hésiter sur le bouton *Continuer*. La page est remplacée par un formulaire électronique. Il sort sa carte de crédit, en inscrit le numéro, puis il remplit les autres champs du questionnaire : *Nom* : Beck ; *Prénom* : Allan ; etc. Enfin, il clique sur *Adhérer.*

Sur le siège passager de la voiture de Neumann, un ordinateur portable émet un avertissement sonore. Ce dernier consulte sa montre.

— *L'heure me semble idéale*, se dit-il.

Il se range le long du trottoir, ouvre l'ordinateur, tape son mot de passe et accède à sa boîte courriel sécurisée. Un formulaire dûment rempli apparaît.

— Allan Beck… Alaska ! s'esclaffe-t-il. Un peu loin… pour l'instant. Désolé, Allan, dit-il en rabattant le couvercle de l'ordinateur. Puis il se retourne et sourit à sa petite passagère assise sagement à l'arrière du véhicule.

Sur l'écran de Beck apparaît alors une page indiquant : *Vous allez recevoir votre code d'accès par courriel dans quelques minutes.* Alléché par la perspective de plaisirs illicites, ce dernier décide de consulter sans plus attendre son courriel. Un mot de passe et un nom d'usager y sont inscrits. Il se frotte les mains, retourne dans la page du site, clique sur l'option *Membre* et inscrit son mot de passe, de même que son nom d'usager. Il salive déjà quand son écran affiche : *Service Temporarily Overloaded.*

— Va chier, saloperie d'ordinateur ! hurle-t-il en assénant une claque sur son écran.

— Allan, tu es servi ! crie sa femme qui s'impatiente.

— Ouais, ouais, j'arrive !

L'ordinateur de Neumann résonne de nouveau.

Celui-ci relève le couvercle, tape de nouveau son code d'accès et lit à haute voix.

— Warren Madden… Baltimore. Enchanté de faire ta connaissance.

— Enchanté ! imite la petite passagère avec sa belle naïveté d'enfant.

Neumann éclate de rire. Il regarde la fillette qui, ravie de la réaction de son nouvel ami, éclate de rire à son tour. Il rabaisse le couvercle de son ordinateur et reprend lentement la route. La voiture croise trois filles légèrement vêtues au maquillage chargé qui déambulent sur le trottoir, perchées sur des talons aiguilles. D'un geste du pouce, elles l'interpellent.

— Hé, mon beau, viens un peu ici ! l'invite une des filles d'un ton égrillard.

— Qu'est-ce qu'elles font? demande candidement la fillette.

— Elles font de l'auto-stop. Et ce n'est pas bien. Il ne faut jamais faire du stop, c'est mal, très mal… Regarde, on va tourner ici.

9

Mercredi matin, 1 h 30...

Denis sirote tranquillement une bière à la table habituelle de son bar préféré. Il scrute les lieux à la recherche de la jolie serveuse qui fait battre son cœur. Seward entre en trombe, un dossier et le livre de Neumann sous le bras.

— Salut ! lance-t-il à Robinson en s'affalant sur une chaise.

— Tu as l'air bouleversé. Raconte. Tiens, c'est pour toi, l'invite Denis en poussant vers lui le verre de bière qu'il lui a commandé un peu plus tôt.

— Merci, dit Seward avant d'en avaler une grande gorgée.

— Alors, raconte.

— Tu sais que j'ai passé la journée à Boston à enquêter sur le triple homicide de Salem. Les trois victimes étaient toutes des étudiantes qui suivaient le cours de psychanalyse du professeur Neumann.

— Oui, Nicole m'a raconté tout ça.

— Et bien, j'ai suivi Neumann, avoue Seward en déposant son verre sur la table.

— Tu as quoi? Tu n'es pas au courant que Bob a été trouvé mort à Rio? Tu as suivi…

— Je l'ai suivi dès sa sortie de l'aéroport à Washington. Il a filé droit chez une dame. Pendant qu'ils étaient à l'étage, je me suis faufilé à l'intérieur et je me suis caché, interrompt Seward en jetant nerveusement des coups d'œil autour de lui pour s'assurer que personne ne les épie.

— Quoi? Tu es entré par effraction?

— Non… pas par effraction. La porte était ouverte, mais attends la suite.

— Quoi? Tu as tué quelqu'un?

— Non, Denis! Neumann a fait signer des documents à cette femme qui s'est mise à sangloter. Puis il est parti avec sa petite-fille âgée d'à peine quatre ou cinq ans en lui promettant qu'il allait revenir s'occuper d'elle le lendemain, résume Seward tout à trac.

— Et…

— Comment et…? Tu ne vois pas?

— Non, quoi? reprend Robinson, nullement impressionné par le récit de Seward.

— Merde! Ce mec va revenir assassiner cette femme demain.

— T'en as parlé à quelqu'un d'autre?

— Non! Bien sûr que non!

— Je l'aurais parié! s'exclame Robinson en levant les yeux au ciel.

— Il a prié la dame de signer à côté de la signature de Madame Darc! Tu sais qui est Madame Darc?

Devant le silence de Robinson, Seward poursuit.

— C'est la directrice de ses orphelinats. La fillette a perdu ses parents, il ne lui reste plus que sa grand-mère et Neumann lui a fait signer des papiers d'adoption, Denis. C'est ça qu'elle signait, insiste Seward sur un ton plus agressif, espérant persuader Robinson de la gravité de la situation.

Robinson le saisit par l'avant-bras et se penche vers lui.

— Calme-toi, Simon. Est-ce que tu as vu les papiers qu'elle a signés? Non, n'est-ce pas? Alors qu'est-ce que tu en sais de ces foutus papiers? Et admettons que tu aies raison. Oui, d'accord. Il lui a peut-être fait signer une sorte de papier, et après. Il dirige des orphelinats. Tu n'as pas pensé une minute que cette femme était peut-être atteinte d'une maladie mortelle et qu'elle voulait s'assurer avant sa mort que sa fille…

— Sa petite-fille, elle l'a appelée mamie.

— … que sa petite-fille serait prise en charge par quelqu'un en qui elle a confiance et que sa succession se ferait correctement.

Robinson relâche le bras de Seward et se recule lentement contre le dossier de sa chaise. Seward reste interdit un moment, puis reprend calmement.

— Bien sûr, Denis que j'y ai pensé, qu'est-ce que tu crois? Je ne suis pas dingue. J'y ai pensé tout au long du trajet jusqu'i…

Seward s'arrête en plein milieu de sa phrase et attrape le livre de Neumann.

— Non, non, non… ! marmonne-t-il en feuilletant le bouquin. Cet homme ne cherche pas à tuer, Denis. Il fait beaucoup plus que cela… Il agit comme un prédateur… Il accomplit une mission… Comment il l'a écrit dans son livre… attends… je l'ai : *L'homme doit exorciser les maux psychiques qui annihilent la pureté de son être et pervertissent son âme en l'éloignant de son essence…* Écoute bien ça : *La matière telle la chair humaine n'est qu'une enveloppe qui, sous la douleur, sert à prévenir l'être vivant que son esprit déroge et qu'il doit tout effacer et se reprogrammer à la source des instincts qui ont, depuis toujours, assuré la pérennité de son espèce, s'il veut garantir sa longévité et découvrir le vrai sens du mot vie !…* Ali ! Il lui a fait le bouche-à-bouche.

— Le baiser de la mort…, enchaîne Robinson qui comprend plus ou moins où veut en venir son ami. Mais qui est cette Ali ?

— Ali Morgan, une fille qui a survécu à Salem. C'est la seule qu'il a épargnée. Cette fille a raconté dans sa déposition que ses trois copines l'avaient pendue lorsqu'elle les avait informées qu'elle souhaitait avouer aux autorités leur rôle dans la mort d'une de leurs camarades, Jennifer Robert… Bon sang, Denis ! En allant se livrer à la police, Ali voulait *exorciser les maux psychiques* qui la hantaient. Ses amies l'ont alors pendue. *La matière, telle l'enveloppe charnelle, sert sous la douleur à prévenir l'esprit qu'il déroge.* Les souffrances que lui ont infligées ses copines lui ont permis de comprendre qu'elles n'étaient pas vraiment ses amies. Neumann devait être là depuis le début. Ali voulait *reprogrammer son esprit* en se dénonçant aux policiers. C'est pour cela que Neumann l'a laissée filer.

— La dépréciation ! Tous les tueurs en série soulagent leur conscience en se convainquant qu'ils ne tuent que des gens qui ne méritent pas de vivre. *Unabomber* disait que, si ses victimes étaient assez stupides pour ouvrir un colis d'un expéditeur qu'elles ne connaissaient pas, elles méritaient de mourir. John Wayne Gacy, le *Clown tueur*, racontait sans le moindre affect qu'il ne tuait que des *petites tapettes minables* pour se satisfaire sexuellement, car étant un homme d'affaires occupé, il n'avait pas de temps à perdre à séduire une femme, récite Robinson qui cherche à donner une crédibilité scientifique aux propos de Seward par respect pour leur amitié.

— Je ne sais pas s'il va tuer cette femme demain, Denis, tu as raison. Et à vrai dire, elle avait l'air plutôt gentille avec sa petite-fille. Mais je ne la connais pas et je l'ai entendue dire : *J'espère que je ne vais pas trop souffrir avant de mourir*. Et Neumann lui a répondu qu'il allait s'assurer qu'elle n'ait pas à souffrir inutilement. Si tu as raison et que cette dame est à l'article de la mort, alors il parlait de mort assistée et, jusqu'à preuve du contraire, c'est toujours considéré comme un crime dans notre pays. Si l'on ne peut pas le coffrer pour les autres meurtres, on l'aura pour euthanasie. Mais on ne peut pas rester là sans rien faire !

Robinson sirote sa bière en observant silencieusement son ami.

— D'accord, répond-il enfin.

Seward s'appuie sur son dossier et pousse un soupir de soulagement.

— Mais il faut en parler à Nicole, relance vivement Robinson.

— Quoi ! Mais comment veux-tu que je lui explique ça ? Je n'ai pas la moindre preuve et je n'étais pas censé filer Neumann, est-ce que tu l'aurais oublié ?

— Il faut en parler à Nicole, insiste Robinson.

— Non ! Denis, on ne peut pas faire ça ! J'ai pensé que je pourrais le suivre seul toute la journée, ce n'est pas très loin d'ici et toi…

— Il faut le dire à Nicole ! crie cette fois Robinson en assénant un coup de poing sur la table, ce qui attire l'attention des autres clients.

— D'accord ! D'accord ! Je vais l'appeler.

Résigné, Seward fait mine de se lever puis se rassoit.

— Non ! j'en suis incapable, fais-le toi !

Robinson sort son téléphone portable de sa poche.

— Je t'en prie, ne le fais pas devant moi ! implore Seward.

Robinson se lève et se dirige vers la sortie en composant le numéro de Jarvis.

— Oui ? répond la jeune femme d'une voix ensommeillée.

— Nicole, c'est Denis, je te réveille ? Excuse-moi, je sais qu'il est tard, mais c'est très important…

Seward s'est replongé dans le livre de Neumann. Il le feuillette et s'arrête sur un passage.

Sandor Ferenczi nous enseigne que l'autotomie, qui consiste en une mutilation réflexe d'une partie du corps, se pratique couramment dans la nature pour assurer la survie et l'évolution des espèces qui l'appliquent. À ce sujet, il mentionne que certains vers se délestent de leurs intestins au profit de leurs agresseurs pour prendre la fuite. Malheureusement, les sociétés humaines ont toujours fait fi des lois de la nature. Au lieu de se délivrer de ses structures amorales, elles laissent une poignée de déséquilibrés anéantir les possibilités de mutations évolutives de l'espèce. Comme toute organisation qui n'arrive pas à s'adapter assez rapidement aux lois de la nature, elles sont depuis toujours vouées à disparaître les unes après les autres. Les lois de la nature sont impitoyables.

Sur ces entrefaites, Robinson revient s'asseoir face à Seward qui, stimulé par sa lecture, se hâte de lui faire part de ses dernières trouvailles.

— Neumann agit seul... Il est à la fois juge et bourreau.

Devant l'air déçu de Robinson, Seward suspend sa démonstration.

— Quoi ? Qu'est-ce qui se passe ?

— Nicole n'a rien voulu savoir.

Seward referme bruyamment son livre.

— Elle dit qu'il n'est pas question d'entreprendre quoi que ce soit avant d'en parler à Jamison. Elle veut que tu te présentes sans faute demain matin au Bureau et elle a précisé que tu as intérêt à être là... Je suis désolé, poursuit Robinson, mal à l'aise.

Seward ramasse ses affaires et se lève d'un bond. Robinson, déconcerté, ne sait plus quel parti prendre.

— Qu'est-ce que tu fais ?

— Je m'en vais.

— Attends ! crie Robinson en l'attrapant par le poignet.

— Quoi ?

— Tu ne vas pas faire de bêtises ?

— Mais non voyons, je rentre chez moi. Allez, lâche-moi !

— On se rappelle, le supplie Robinson en relâchant son bras.

— On se rappelle… Bon sang, je ne peux pas croire qu'on va en rester là pendant que ce type fauche tout sur son passage, enrage Seward avant de se rasseoir et de déposer son fourbi.

Il appuie les coudes sur la table et se passe la main sur le visage. Robinson lui tapote le dos pour l'apaiser.

— Je crois que tu as une piste, Simon. C'est vrai. Mais Nicole a raison et tu le sais. Tu ne peux pas entreprendre la poursuite de Neumann sans en parler à Jamison. Tu n'as qu'à te pointer à la première heure demain matin pour tout lui expliquer. Enfin, peut-être pas que tu as pris en chasse Neumann et que tu es entré par effraction chez une honnête citoyenne. Mais ta thèse sur son bouquin et tous ces liens que tu fais avec la déposition de la jeune fille épargnée par le meurtrier à Salem ne laisseront sûrement pas Jamison indifférent si tu es bien préparé. Tu as là une véritable chance de faire valoir ton point de vue, … et l'on va tout faire pour la saisir. Allez ! ouvre tes livres, je vais t'aider. Tu sais ce qu'on dit ? Il ne faut jamais se décourager, car le tueur finit toujours par commettre une erreur.

10

4 h 15, Parc national de Shenandoah...

Des gouttes d'eau commencent à traverser le feuillage d'automne qui recouvre la forêt. Soudain, un éclair
perce l'obscurité et dévoile une jeune fille d'à peine
vingt ans, complètement nue. Sa longue chevelure en
broussaille lui recouvre le visage. Elle court à travers
les arbres en se retournant constamment quand son
pied accroche une racine. Elle ne ressent pas la douleur
tant la peur la tenaille. Haletante, elle file sans prendre
la peine de se protéger. Une branche lui égratigne la
joue, une autre lui fouette un mamelon. Mais rien ne
la déconcentre, pas même les toiles d'araignée qui
s'agglutinent sur son corps. Elle dévale une pente
quand la terre se met à se dérober sous ses pieds nus et
meurtris. Elle s'appuie sur les talons et se laisse porter
jusqu'à l'eau.

Elle poursuit sa course éperdue à travers la caillasse submergée lorsque son genou heurte un rocher. Elle prend appui sur une énorme pierre qu'elle devine plutôt qu'elle ne voit, mais glisse sans pouvoir se retenir et tombe dans le lit glacé de la rivière. Complètement déshydratée, elle y plonge les mains et boit goulûment. Elle tente de reprendre son souffle quand elle aperçoit son corps nu dans le miroir de l'eau : elle est couverte d'ecchymoses. Paniquée à la vue de son corps torturé, elle pousse un cri d'horreur qui résonne dans l'obscurité.

Elle entend alors un bruit de pas. Elle retient sa respiration, mais elle comprend vite qu'elle n'a rien à gagner à jouer à l'autruche. Bien qu'assoiffée et épuisée, la jeune fille reprend sa fuite. Dans sa hâte, elle bute contre une pierre et tombe tête la première sur une énorme roche. Une douleur intense irradie dans ses gencives. Elle passe sa langue sur ses dents et une incisive lui tombe dans la main. Elle se relève et, après de multiples efforts, atteint enfin l'autre rive, quand une nouvelle averse s'abat sur elle.

Une heure plus tard, la jeune fille marche d'un pas lourd en titubant. Elle franchit l'orée du bois et s'engage sur l'herbe d'un immense parc désert. Elle fait encore quelques pas et aperçoit au loin un banc sur lequel sont empilées des boîtes de carton. À côté se trouve un chariot de supermarché recouvert d'un plastique transparent. Dans un ultime effort, elle tend la main vers l'abri de fortune, avant de s'effondrer sur le tapis de verdure froid et détrempé.

L'homme qui y a élu domicile l'observe par une fenêtre découpée dans le carton. Abasourdi, il s'agite et tourne en rond dans sa cache.

— Mais qu'est-ce que c'est? Mais qu'est-ce que c'est?

Il ouvre un sac-poubelle rempli de vêtements hétéroclites et en retire fébrilement des chaussettes, des souliers, des vestons et, enfin, une longue veste rose.

— Oui! Oui! Oui! chantonne le pauvre homme en roulant la veste sous son bras.

Il attrape au passage une casquette, sort sous le déluge et s'empare de son chariot.

— Viens, Titi, quelqu'un a besoin de nous, lui dit-il avant d'ôter la toile de plastique qui le recouvre et d'y lancer la veste. Tiens, avec cette casquette, tu seras bien pour la route, ajoute-t-il en déposant soigneusement la coiffure sur le siège du chariot.

Il embrasse la poignée de son ami roulant et se met en marche. Il traverse la clairière en continuant de lui parler et s'arrête à la hauteur de la jeune fille.

— Ah mon Dieu! s'exclame-t-il en détournant son regard, gêné par la nudité de la victime.

Il scrute les environs. Personne. Il fait le tour du corps et s'arrête aux pieds de la jeune fille. Derrière lui, la forêt conserve son mystère. Il se penche sur le corps immobile.

— Mademoiselle! Mademoiselle, il pleut!

Le craquement d'une branche dans le silence du parc le fait sursauter. Il se retourne brusquement.

— Il y a quelqu'un?

Le silence lui répond. Il concentre alors toute son attention sur la jeune fille toujours inanimée.

— Je vais m'occuper de vous, Mademoiselle, n'ayez pas peur. Est-ce que vos vêtements sont dans la forêt?

Je peux aller les chercher si vous voulez. Mais j'en ai de beaux pour vous si vous préférez… Quoi! Tu veux les garder pour toi? Non! Il faut les prêter à la dame, Titi, réprimande-t-il en se tournant vers son chariot. Vous n'êtes pas endormie, j'espère? Certains aiment dormir très longtemps, mais pas vous n'est-ce pas?

Il pousse légèrement du pied le corps inanimé. Sous la pression, il bouge, mais la jeune femme ne réagit pas.

— Non, vous n'êtes pas endormie, se réjouit-il. J'ai quelque chose pour vous.

Il retourne vers le chariot, s'empare de la veste rose et revient vers la fille. Il déplie le vêtement et le dépose bien soigneusement sur le dos de la femme allongée.

— Ah! Comme vous êtes belle avec ça! Hein, Titi? Oui, elle va être très belle.

Il enfile le bras gauche de la fille dans la manche du veston et contourne le corps par les pieds en fermant les yeux pour ne pas voir ses parties intimes. Il se penche et répète le manège avec le bras droit. Il se redresse et se tape dans les mains.

— Ça lui va comme un gant!

Il contemple son œuvre et aperçoit les fesses dénudées de la jeune fille. Il ferme aussitôt les yeux et détourne la tête. Puis il ouvre juste un œil, attrape le pan du veston et le rabaisse jusqu'à mi-cuisse.

— Là, c'est parfait! s'exclame le bon Samaritain en ouvrant l'autre œil, tout heureux du résultat. Bon, je vais devoir vous tourner maintenant.

Il se penche sur le corps de la jeune fille, l'agrippe par le bras et la jambe gauche et la retourne. La pauvre fille se retrouve les jambes écartées et la poitrine dénudée.

— Oh, mon Dieu! Nous allons devoir cacher tout ça, dit-il en refermant les yeux. Ne regarde pas, Titi! ordonne-t-il, plus intimidé par la nudité de la jeune fille que par les horribles meurtrissures qui couvrent son corps.

De nouveau, il n'ouvre qu'un œil, rapproche les deux pans du veston et prend bien soin d'attacher tous les boutons.

— Voilà! Maintenant, je vais avoir besoin de toi, Titi, annonce-t-il à son chariot qui luit sous la pluie battante.

11

Mercredi matin, 6 h 30, appartement de Seward…

Assis au pied de son lit, Seward regarde fixement la fenêtre en attendant le lever du soleil. Le bruit strident de son réveille-matin l'arrache à sa contemplation. Il bascule sur le dos, se retourne sur le ventre et rampe sur le matelas jusqu'à ce qu'il soit à portée de main. Là, il lui assène une taloche pour faire cesser l'horrible sonnerie. Il a à peine fermé l'œil de la nuit. Il file sous la douche bienfaisante dont il ressort revivifié. Il se sent fin prêt à affronter Jamison et déterminé à lui exposer plus à fond son hypothèse. Il compte bien obtenir la permission de poursuivre la filature de Neumann.

*
* *

7 h 15, Bureau du FBI...

Carnet de notes, livre de Neumann et déposition d'Ali Morgan à la main, Seward s'engage d'un pas énergique dans le couloir qui mène au bureau de Jamison. Il aperçoit au fond du couloir la chaise inoccupée de la secrétaire. Il passe devant la salle de réunion adjacente au bureau du patron. La porte est grande ouverte. Croyant y trouver Jarvis, il penche la tête pour la saluer, mais personne n'est là pour lui répondre. L'endroit est désert.

— *À l'heure qu'il est, ce n'est pas vraiment surprenant*, se dit-il en poursuivant sa route.

Il arrive enfin devant le bureau du patron. Il s'arrête, prend une grande inspiration et s'apprête à frapper à la porte, quand celle-ci s'ouvre brusquement, laissant passer la secrétaire qui jaillit de la pièce comme d'une boîte à surprise. Seward reste figé un instant, puis recule pour lui céder le passage.

— Enfin, vous êtes là ! Vous n'avez pas votre portable sur vous ? Ça fait une demi-heure que j'essaie de vous joindre ! l'invective-t-elle.

— Oui, je l'ai..., bafouille Seward en fouillant dans ses poches pour prouver son innocence. Elles sont vides.

Il baisse les yeux et se pince les lèvres avec résignation.

— Non, excusez-moi, je l'ai oublié.

— Une jeune femme a été retrouvée morte ce matin dans le Parc national de Shenandoah, à quelques kilomètres au nord-ouest de Chester Gap. Vous devez vous y rendre tout de suite ! enchaîne la secrétaire.

— Où ça ? l'interroge Seward, complètement dépassé par les évènements.

— Tenez, dit la secrétaire en lui tendant un exemplaire de l'*United States Interstate Map* qu'elle a replié autour de la zone concernée. Il s'agit d'une toute petite ville, comme la majorité des localités de ce coin de la Virginie. Elle n'est même pas indiquée sur la plupart des cartes. Voyez, j'y ai inscrit *Chester Gap* en gros caractères et je vous ai marqué son emplacement par une croix. Elle est située au nord, presque à la pointe du Parc national de Shenandoah. Ça fait déjà vingt-cinq minutes qu'ils sont partis. Si vous vous dépêchez, avec un peu de chance, vous n'arriverez pas trop tard.

— Pourriez-vous ranger ça pour moi dans le dossier du triple meurtre qui a eu lieu à Salem vendredi soir dernier ? C'est la déposition d'un témoin, sollicite timidement Seward. Et Nicole, où est-elle ?

La secrétaire saisit le document au vol.

— Monsieur Jamison est parti en voiture en compagnie de l'agent Jarvis. Un technicien en scène de crime les suivait en fourgonnette. Vous auriez dû être du voyage vous aussi. Assez perdu de temps, prenez la même voiture qu'hier et filez.

*
*   *

Parc national de Shenandoah...

Jamison et deux gardes forestiers sont debout à côté du corps d'une jeune femme recroquevillé dans un

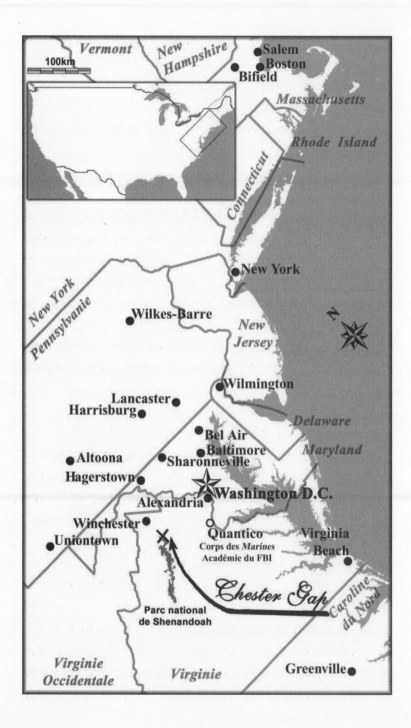

chariot de supermarché. Jarvis photographie le cadavre sous tous les angles pendant que Jamison fait signe au technicien qui attend, à quelques pas de sa fourgonnette, d'approcher la civière.

— Qui l'a découverte ? demande Jamison aux deux hommes.

— C'est Jimmy… Jimmy est un brave type. Certains le prennent pour un sans-abri, mais il vit avec sa mère dans un chalet non loin d'ici. Il est un peu lent d'esprit. Il souffre d'une sorte d'autisme… ou de schizophrénie. Il n'a jamais fait de mal à une mouche. Vous savez, je ne le crois pas capable d'un truc de la sorte, raconte l'un des gardes en triturant nerveusement sa casquette vert foncé.

— C'est lui dans la camionnette là-bas ? questionne Jamison en pointant du doigt un homme assis à l'arrière du véhicule à l'enseigne du Parc.

— Oui, c'est bien lui.

— On peut lui parler ?

— Bien sûr, mais… comme je vous le disais, il a de petits problèmes, alors ce n'est pas évident de communiquer avec lui. Je peux vous raconter ce qu'il m'a dit, si vous voulez, propose le gardien qui veut manifestement protéger le pauvre homme.

— Allez-y, je vous écoute.

— D'accord. Il dit qu'il a trouvé la fille au bord de la forêt.

— À quel endroit exactement ? insiste Jamison.

— Bon, c'est ça le problème… il ne s'en souvient plus. Comme je vous l'ai dit, il a quelques ratés, question cervelle, mais il n'est pas violent. Sa mère commence à être âgée et ils n'ont pas beaucoup d'argent, alors je ne voudrais pas qu'ils soient aux prises avec la justice, vous comprenez?

— Vous connaissiez cette fille?

— Non. Et on ne l'a pas vue camper dans le coin non plus.

— Et vous, la connaissiez-vous? s'informe Jamison en s'adressant au confrère du gardien, qui n'a pas encore ouvert la bouche.

— Non, je ne l'ai jamais vue, bégaie-t-il, comme sous le coup d'une accusation.

— Quel est le nom de famille de Jimmy?

— Parker, Jimmy William Parker.

— Est-ce que Jimmy quitte souvent le coin? Est-ce qu'il a une voiture?

— Non. Il passe ses journées à déambuler dans le parc. Parfois, il se rend jusqu'à Chester Gap à pied, mais il ne va pas plus loin sans nous ou sa mère. La plupart du temps, il nous aide à nettoyer le parc ou il joue avec les enfants… Mais non, non! Ne croyez pas qu'il soit pédophile! Et il n'est jamais déplacé avec quiconque. D'ailleurs, la veste rose que porte le cadavre, c'était un vêtement à lui et…

— Bon, il n'a pas de voiture, cette fille ne campait pas sur le terrain et vous ne l'avez jamais vue auparavant. C'est bien ça? Alors, ne vous en faites pas pour votre ami: il ne sera pas sur la liste des suspects, les rassure Jamison.

— Je vais vous raconter ça comme il me l'a dit, reprend le gardien, rasséréné.

Jamison sort son calepin.

— Bon, la fille… Jimmy dit l'avoir vue sortir de la forêt cette nuit, complètement nue sous la pluie battante. Elle est tombée tête la première au sol. Mais le pauvre Jimmy ne s'est pas rendu compte qu'elle était morte. Il s'est approché, l'a recouverte de la veste et l'a promenée dans son chariot. Ce matin, comme chaque matin, on s'est arrêté lui dire bonjour, et c'est là qu'il nous a présenté la fille morte. J'avais bien remarqué une silhouette dans son chariot, mais j'ai cru que c'était un tas de vêtements posés sur une poupée. J'étais loin d'imaginer qu'il s'agissait d'une vraie femme. Lorsqu'on a arrêté la camionnette à sa hauteur, il nous a présenté le cadavre. Antoine a crié… Raconte, demande-t-il à son collègue en le pointant du doigt.

Son ami prend la relève.

— J'ai eu peur et j'ai crié : mais qu'est-ce que c'est que ça ? Et Jimmy nous a répondu avec fierté qu'il avait rencontré la *Belle au bois dormant.*

Jamison, Jarvis et le technicien interrompent brusquement leurs activités et tournent leur regard vers Jimmy. Ce dernier, toujours assis à l'arrière du véhicule, fixe le plancher d'un air triste. Jarvis dirige son appareil vers lui et, d'une simple pression de l'index, l'immortalise.

Le gardien s'est tu devant la réaction des représentants du FBI. Il esquisse bravement un sourire et déglutit péniblement pendant que son collègue reprend les rênes.

— Pour vous faire une histoire courte, quand son père est mort, Jimmy est resté presque une semaine sans sortir. Il ne bougeait plus du tout. Sa mère a consulté un psy qui lui a conseillé de raconter à son fils que son père dormait et qu'il allait dormir longtemps. Depuis, quand il déprime, il fait de l'insomnie et erre parfois toute la nuit dans le parc. Il dit qu'il ne veut pas trop dormir comme son père, pour ne pas faire de peine à sa mère. Mais le truc du psy a quand même marché. Jimmy s'est remis à vivre et, maintenant, pour lui, mourir c'est dormir longtemps… Lorsqu'il nous a présenté cette malheureuse fille ce matin, nous n'avons touché à rien. On a simplement demandé à Jimmy de s'asseoir à l'arrière de la camionnette et il a obtempéré sans la moindre résistance.

— Et vous ne savez pas où il a trouvé le corps? relance Jamison.

— Non, il est incapable de nous le dire. Tout ce qu'il a pu raconter, c'est qu'hier soir, il s'est installé sur un banc de parc là-bas. Il lui arrive parfois d'y passer la nuit. Je ne serais pas surpris que ses affaires y soient encore. Je peux vous y amener, si vous voulez.

— C'est tout?

— Oui. Je sais que Jimmy est un peu étrange à se balader toute la journée avec son chariot, mais je suis certain qu'il ne l'a pas touchée.

— Monsieur Jamison! crie Jarvis après avoir aidé le technicien à déposer le corps sur la civière.

— Un instant, s'il vous plaît, dit Jamison avant de se diriger vers Jarvis qui se tient debout à côté du cadavre.

— Regardez, Monsieur, elle a la veste boutonnée jusqu'au cou.

Jarvis déboutonne lentement le vêtement en commençant par les boutons du bas, mettant à nu des cuisses bien collées l'une contre l'autre.

— Je crois qu'ils disent vrai. La veste est trop bien fermée et les organes génitaux protégés pour que Jimmy ait voulu profiter d'elle.

Elle termine de déboutonner la veste, dévoilant un corps couvert d'ecchymoses.

— C'est comme si elle avait été sévèrement battue, déduit-elle avec horreur.

Jarvis poursuit sommairement son examen.

— On dirait qu'elle a reçu une volée de coups de poing. Elle a également eu les poignets ligotés. Certains hommes impuissants en viennent à frapper les femmes en espérant obtenir une érection.

Jamison jette un coup d'œil aux extrémités du cadavre.

— Elle a les pieds en piteux état.

— Elle a dû marcher des kilomètres à travers la forêt, avance Jarvis.

— Et échapper à son agresseur, ajoute Jamison.

Jarvis examine le contour de la bouche, le visage, le cou, les seins et, enfin, l'entrejambe de la victime.

— Elle a une dent en moins et semble avoir la mâchoire fracturée, peut-être à coups de poing. Il n'y a pas de morsures au visage, pas plus qu'au cou ou aux seins. Il n'y a pas non plus de marques de violence particulières au niveau de l'entrecuisse. Elle n'a pas dû être violée.

— Peut-être qu'il n'en a pas eu le temps ou qu'elle était consentante. Le labo nous renseignera là-dessus. Ouvrez-lui la bouche, demande Jamison.

Jarvis, qui a des gants, s'exécute et place sa main droite sur le maxillaire inférieur pour lui desserrer les mâchoires.

— Non, juste les lèvres.

Jarvis saisit la lèvre supérieure entre son pouce et son index gauche et la retrousse pendant que, de l'autre main, elle pince la lèvre inférieure et la tire vers le bas. Elle dévoile ainsi la dentition et les gencives du cadavre. Jamison se penche et y jette un rapide coup d'œil.

— Merci. Vous pouvez relâcher… Ses dents ont été blanchies et ses doigts ne sont pas jaunis. Les ongles de ses mains et de ses pieds ont été manucurés et peints avec un vernis transparent. Pourtant, ils sont souillés de terre, remarque Jamison qui continue de prendre des notes dans son calepin.

— Il la croyait peut-être morte ! Il aurait alors défait ses liens et c'est là qu'elle aurait fui avant qu'il ne la tue, propose Jarvis.

— Il se peut qu'elle soit décédée d'une hémorragie interne, mais je crois plutôt qu'elle est morte d'épuisement ou de peur.

Jarvis poursuit son investigation. Elle retire un bras du veston et soulève légèrement le corps sur le côté pour dégager le dos et les fesses de la victime.

— Je ne décèle aucun tatouage, ni piercing ni autres signes distinctifs, et elle ne porte aucun bijou, termine Jarvis pendant que le technicien examine le bout des doigts de la dépouille.

— Avec de si belles empreintes, ça va être facile de trouver neuf caractéristiques essentielles pour l'identification! exulte-t-il en s'empressant de numériser l'empreinte du pouce de la main droite.

Seward arrive à cet instant et se gare non loin du véhicule de Jamison. Ce dernier, qui vient tout juste de terminer de consigner ses observations, referme bruyamment son calepin avant de poser une énigme à Jarvis.

— Bon! Pourquoi se retrouve-t-elle ici d'après vous? la questionne-t-il d'un air suffisant, après avoir inscrit la réponse dans son carnet.

Cette attitude ne manque pas de stresser Jarvis qui ne veut pas décevoir son patron, d'autant plus qu'elle n'en a pas la moindre idée. Elle se creuse les méninges sans succès et, à son grand regret, doit abdiquer.

— Je ne sais pas, Monsieur... Je dois y penser.

Jamison lui sourit.

— Vous me vérifiez ça tout de suite, ordonne-t-il en parlant des empreintes de la victime, avant de se diriger vers sa voiture.

En chemin, il croise Seward qui s'avance vers la scène de crime.

— Seward! Vous allez poursuivre cette enquête avec Jarvis, commande-t-il en regardant sa montre, laissant ainsi entendre au jeune policier qu'il prend acte de son retard.

— Je suis désolé. Je l'avais...

— Vous allez suivre les deux gardiens du parc. Ils vont vous montrer où ils croient que Jimmy Parker, l'homme assis dans la camionnette, aurait retrouvé le corps. Lisez ça! lui enjoint Jamison en tendant son calepin à Seward.

— Bien. Vous croyez que c'est lui qui a fait ça, Monsieur ? demande Seward en saisissant le carnet.

— Non, pas du tout. Allez les rencontrer, réplique Jamison avant de continuer sa route vers sa voiture.

Rassemblant tout son courage, Seward décide de l'accompagner.

— Pardonnez-moi, Monsieur ! Puis-je vous parler un instant ? C'est au sujet d'Auguste Neumann…

— Allez-y, je vous écoute, accepte Jamison sans ralentir.

Seward le suit jusqu'au coffre arrière de sa voiture et entame sa plaidoirie pendant que Jamison range son matériel.

— Je sais pertinemment que Robert Conway a été retrouvé mort et que c'était notre principal suspect… Mais, voyez-vous, je crois qu'on devrait poursuivre notre enquête sur Neumann tant et aussi longtemps que nous ne serons pas entièrement convaincus qu'il n'est pas mêlé à tout cela.

— Mais nous poursuivons toujours notre investigation. D'ailleurs, Jarvis doit rencontrer une femme qui travaille pour lui et l'équipe Bayer-Brown s'affaire toujours au cas de Bill Bill et des Rupert pour l'instant, corrige Jamison en sortant ses bottes.

— J'ai travaillé toute la nuit, Monsieur, à lire et à relire le bouquin de ce Neumann, et j'ai trouvé des faits très troublants qui pourraient expliquer tous ces meurtres. Si vous me laissiez aller chercher mes notes dans la voiture, je pourrais…

— Inutile, j'ai déjà lu ce livre. Où voulez-vous en venir ? rétorque Jamison, agacé. L'œuvre de ce Neumann n'a rien d'un manifeste terroriste. C'est un ouvrage plutôt rébarbatif sur l'intelligence. Et bien qu'il soit fort intrigant de par sa singularité et sa vision terre-à-terre de la vie, il ne constitue pas une preuve de la culpabilité de son auteur, poursuit Jamison, qui devient facilement irritable quand on remet en question ses plans stratégiques.

— Neumann écrit des choses étranges, Monsieur. Ce n'est pas exactement le manifeste d'*Unabomber,* mais il parle de pureté de l'âme en tant que vérité métaphysique. Et pourtant, ce n'est pas un fanatique religieux, loin de là ! Dans son livre, il enseigne qu'utiliser un être vivant telle la matière est une insulte aux lois de la nature. Or, dans notre société, on a tendance à tout ramener au matériel, même notre propre corps. Pour lui, respecter notre essence animale est une priorité au-dessus de tout, et même des lois sociales.

— Aboutissez, Seward ! s'impatiente Jamison qui enfile ses bottes.

— Monsieur, je crois que, non seulement Neumann a pu tuer toutes ces personnes, mais, qu'en plus, il en a tué beaucoup d'autres, et par diverses méthodes. Il doit varier son *modus operandi*. Je sais que tuer de façon compulsive peut indiquer que le meurtrier sent venir sa fin. Mais je ne crois pas que ce soit le cas ici. Dans votre résumé de mercredi dernier sur le profilage du professeur Ames, vous avez pris vous-même la peine de mentionner que le meurtrier pouvait changer de cible et se créer une nouvelle signature, puisqu'il est sans cesse à la recherche d'une victime. De plus, dans son rapport, Ames stipule qu'en tuant des adultes notre homme commue son désir pulsionnel en plaisir frénétique de toute-puissance. Par ailleurs, il est évident que le tueur ne s'attaque pas aux gens par jalousie, pour de l'argent, pour quelques plaisirs sexuels pervers ou par folie. Non! Sa motivation est tout autre. Or, Neumann est un mégalomane. C'est un vrai spécialiste du fonctionnement social des loups. Il leur attribue une conception morale de la vie à partir de laquelle il établit des dogmes sur le bien et le mal. Et, sauf votre respect, Monsieur, son essai est un peu plus qu'un simple ouvrage sur l'intelligence. Il s'apparente davantage à une doctrine porteuse d'un monde nouveau qu'il s'efforce de créer et, pour y parvenir, il *prédate*, soutient Seward avec une farouche énergie.

Voyant que Jamison demeure imperturbable, il en rajoute.

— L'homme doit exorciser les maux psychiques pour purifier son âme. La matière telle la chair humaine n'est qu'une enveloppe qui, sous la douleur, sert à éveiller l'esprit et à le rendre vivant…

— Vous avez terminé? demande Jamison en soupirant.

— Monsieur… Il y avait une quatrième fille à Salem et le tueur l'a laissée en vie. Elle s'appelle Ali Morgan. Il l'a laissée en vie, car elle voulait raconter aux policiers qu'elle avait mal agi envers une copine qui s'est suicidée…

Seward suspend brusquement sa phrase sous le regard acerbe de Jamison qui le dévisage sans mot dire pendant qu'il referme énergiquement le coffre. Plus loin, Jarvis s'avance vers eux, l'air triomphant.

— J'ai trouvé, Monsieur!

Jamison détourne son regard vers la policière qui s'approche à grands pas, la mine rayonnante. Elle porte comme un trophée crayon et bloc-notes. À l'intérieur, elle y a épinglé un cliché du visage de la victime sous lequel elle a inscrit son nom en grosses lettres. Tournant le dos à Seward, Jamison s'empresse de la rejoindre. Déçu, Seward entreprend la lecture du fameux calepin, pendant que Jarvis débite son compte rendu.

— Elle s'appelle Christina Johnson. Elle mesure un mètre soixante-deux et pèse cinquante-cinq kilos. Elle est âgée de vingt ans et est mère monoparentale de deux enfants, une fillette et un petit garçon. Elle vit au centre-ville de Washington. Il y a à peu près un an, elle a été interpellée pour prostitution sous le pseudonyme de *Cookie*. Elle n'est pas portée disparue, mais avec le travail qu'elle fait, il peut se passer des mois avant que quelqu'un la réclame, termine Jarvis, ravie d'avoir trouvé l'identité de la victime, mais, surtout, la réponse à l'énigme de Jamison.

Ce dernier comprend que Jarvis a enfin saisi ce qu'il voulait dire. Il lui sourit avant de se tourner vers le jeune policier.

— Seward, venez par ici ! Agent Seward ! insiste Jamison en haussant le ton.

— Oui, Monsieur ! répond Seward qui cesse enfin de faire la sourde d'oreille et accourt vers Jamison, le nez toujours plongé dans le calepin.

— Jarvis va vous exposer ce qu'elle sait, explique Jamison en s'éloignant.

Puis il se ravise et revient vers lui.

— Concernant le triple homicide de Salem... cette Ali Morgan, vous l'avez rencontrée ?

— Oui, Monsieur, elle a même fait une déposition complète. Je l'ai confiée à votre secrétaire en passant au bureau ce matin.

— C'est bien, conclut Jamison qui rejoint sans plus tarder les gardes forestiers.

Seward le laisse s'éloigner avant de partager avec Jarvis ses dernières déductions.

— Tu as vu ça, Nicole... Son corps est couvert d'ecchymoses, mais elle ne semble pas avoir été violée, seulement battue.

— File-moi le carnet ! ordonne Jarvis, curieuse d'en lire le contenu.

Perdu dans ses pensées, Seward lui tend le calepin de Jamison sans même la regarder. Jarvis le lui arrache des mains et se met à tourner les pages avec avidité.

— On ne sait pas trop ce que ce dingue a fait à cette pauvre fille, mais tu peux aller voir, lui répond-elle distraitement en continuant fébrilement sa lecture.

— Qu'est-ce que tu as dit qu'elle faisait comme métier ?

Jarvis a enfin trouvé ce qu'elle cherchait.

— *Il s'agit d'une prostituée...* lit-elle à haute voix.

Frustrée, elle frappe le petit carnet du revers de la main et pousse un long soupir.

— Pardon, qu'est-ce que tu disais ? demande-t-elle en levant les yeux vers Seward. Ouais ! c'est bien ça ! C'était une prostituée. Du moins, elle l'était il y a un an, à Washington.

— Elle a des enfants, n'est-ce pas ?

— Oui, deux. L'un a six ans et l'autre, presque cinq.

— Neumann était à Washington hier soir.

— Je sais. Denis m'a raconté ton exploit, râle Jarvis en croisant les bras.

Seward se tourne à demi et contemple la forêt.

— Une prostituée… une fille de petite vertu avec des enfants…, marmonne-t-il pour lui-même, toujours plongé dans ses pensées.

— Hé, regarde-moi quand je te parle !

Seward se retourne.

— Cette fille a été châtiée, Nicole : elle a subi une correction corporelle pour expier ses péchés et extirper ses maux psychiques. Elle ne s'est pas libérée de ses liens, il l'a tout simplement détachée, car elle était pénitente…

— Quoi ! Mais qu'est-ce que tu racontes ? Cette fille est apparemment morte de peur en s'enfuyant dans la forêt, car quelqu'un devait la poursuivre ou elle avait peur qu'on la rattrape.

— Ali a été épargnée, car elle avait exprimé du repentir.

— Mais de quoi parles-tu à la fin ?

— Je parle de la fille que Neumann a laissée en vie à Salem samedi soir.

— Quoi ?… Tu n'es pas en train de me dire que tu crois que c'est Neumann qui a tué Christina Johnson, Simon ? Rassure-moi ! Dis-moi que je ne t'ai pas bien compris !

Jarvis dévisage Seward, les yeux courroucés. Ce dernier soutient son regard sans fléchir.

— Ce n'est pas vrai ! Te rends-tu compte de ce que tu dis, Simon ? À peine débarqué de l'aéroport, cet homme aurait déjà tué une fille ? Tu as suivi Neumann dans tout Washington jusqu'à une heure du matin. Il est parti avec une fillette qu'il a dû laisser quelque part. Ensuite, il aurait embarqué Christina et roulé jusqu'ici pour la torturer ? Puis, elle se serait baladée à travers toute la forêt. Et tout ça, avant le lever du jour ? Tu es dingue ou quoi ?

— Ah oui ? et qu'est-ce qu'il y a de si étrange ? Dans les années 1980, Arthur Shawcross enleva tour à tour deux femmes dans le même bar. Il les amena dans la forêt, à des kilomètres de là, où il les viola et les découpa en morceaux, et tout ça en moins d'une heure. Ted Bundy en tua même cinq en une seule soirée. Alors, franchement, je ne vois pas le problème. Cette fille n'a pas été violée, Nicole, elle a été punie... Ça ne doit pas être facile tous les jours d'être l'enfant d'une prostituée. Ce *modus operandi* colle tout à fait à la psychologie de Neumann.

— Mais on ne sait même pas depuis quand cette fille a disparu, et toi tu...

— Elle avait peur que quelqu'un la rattrape ! C'est ça qui te dérange. C'est peut-être tout simplement parce qu'elle croyait avoir affaire à un Robert Hansen, le boulanger psychopathe qui offrait à des prostituées des ballades en avion au-dessus de l'Alaska. Une fois qu'il les avait isolées en forêt, il les forçait à retirer leurs vêtements et les obligeait à s'enfuir nues à travers bois pour les traquer, tantôt à l'arc, tantôt au fusil. Puis il les capturait, les violait, les traitait comme du gibier et les achevait au couteau.

— C'est exactement ça, Simon. Et elle avait parfaitement raison de le croire.

— Tu oublies juste une chose, Nicole… Hansen n'a jamais laissé filer une seule de ses victimes, et pas une ne lui a échappé. Et tu sais pourquoi ?

— Elles étaient toutes pieds nus, répond Jarvis comme si elle venait d'être frappée par une révélation. Cette fille a les pieds en compote. S'il avait voulu la rattraper, elle n'aurait jamais pu lui échapper, conclut Jarvis en voyant Seward d'un regard neuf.

— C'est bien ça, l'encourage-t-il.

— Alors, pourquoi ne pas lui redonner ses vêtements avant de la laisser partir ? questionne Jarvis qui cherche à comprendre le profilage du criminel échafaudé par Seward.

— La pureté de l'âme se retrouve chez l'enfant, Nicole, mais l'esprit n'est vraiment pur qu'à la naissance. Il l'a fait renaître. Elle est morte de peur après avoir subi la punition de Neumann. Cette pauvre fille a cru qu'elle venait de voir le diable en personne.

— Rien de tel que la nature pour renaître. Le contact direct de la terre… Il y a de la terre sous ses ongles, ajoute Jarvis en prenant des notes.

— C'est ça, Nicole ! Il doit y avoir un trou, une cave, une grotte dans la forêt où il cache ses victimes pour les sermonner et, parfois même, les exécuter.

— Peut être, mais il y a plus de mille kilomètres carrés de forêts et de montagnes par ici, Simon. Il est impossible d'espérer y repérer quelque indice… même si on apprend où on a découvert le corps. Cette pauvre fille a couru pendant des heures dans le noir, si l'on se fie à l'état de ses pieds. Les chiens pourraient nous aider, mais il a fait orage toute la nuit, alors… Si au moins elle avait porté des vêtements, ou pourrait en retrouver des lambeaux ici et là, mais elle était entièrement nue. Par contre, on peut facilement vérifier si Neumann possède un bâtiment ou une terre dans le coin. Mais c'est loin d'être suffisant pour l'incriminer. Encore faut-il y trouver l'endroit où elle a été torturée, et ça, ça peut être n'importe où.

— Mais c'est un excellent début, Nicole ! C'est exactement ce que je vais faire. Bon sang ! on perd notre temps ici ! Neumann s'apprête à exécuter la femme que j'ai vue hier.

— Tu as parlé à Jamison de ton analyse des écrits de Neumann ? demande Jarvis qui cherche une solution.

— Oui, mais il ne veut rien entendre. On dirait qu'il commence à croire lui aussi que je fais une fixation sur Neumann. J'aurais dû lui remémorer la devise de ses orphelinats.

— *Ici les enfants ne pleurent jamais*, s'indigne Jarvis. Ça n'aurait rien changé pour Jamison. Ce mantra est déjà inscrit dans le dossier de Neumann et, de toute façon, ça ne prouve absolument rien. Tu n'as jamais entendu parler de l'ironie ? Rappelle-toi l'histoire de David Berkowitz, le *Fils de Sam*. Il ne sortait jamais sans sa trousse de premiers soins dans l'espoir de sauver quelqu'un. Dans une même soirée à New York, il dépanna deux filles dont la voiture était enlisée dans la neige et assassina à bout portant deux amoureux qui s'embrassaient dans la leur. Si ça se trouve, non seulement Neumann tue toutes ces personnes comme tu le supposes, mais, en plus, il abuse aussi des enfants. Le problème, c'est que tu n'as pas la moindre preuve dans un cas comme dans l'autre. Alors, parle-lui plutôt du profilage que tu viens de faire sur l'agresseur de cette fille. Si tu as pu me convaincre, ça sera pareil pour lui.

— Non, c'est comme parler à un mur, il ne veut rien entendre. À moins que…

Seward s'élance vers Jamison qui est en train de discuter avec les gardiens du parc.

— Qu'est-ce que tu fais, Simon ? crie Jarvis.

— Monsieur Jamison ! interpelle Seward d'une voix forte.

Jamison se retourne et le regarde, impassible. Les gardiens se dirigent vers leur véhicule et Jamison vers le sien. Il dépasse Seward sans s'arrêter.

— Montez dans votre voiture ! nous allons à l'endroit où les gardes pensent que le corps a été retrouvé, commande Jamison.

— J'ai suivi Auguste Neumann dès sa sortie de l'aéroport hier soir, Monsieur, avoue Seward.

Jamison s'arrête brusquement et se retourne vers le policier fautif.

— Vous avez QUOI ?

— Cet homme s'apprête à tuer une pauvre innocente. Donnez-moi la permission de le prendre en filature. Sinon…

— Sinon quoi ? crache Jamison prêt à fusiller Seward sur place.

— Je vais devoir inscrire dans mon rapport… Cette femme habite un beau quartier de Washington. Je ne voudrais pas avoir sa mort sur la conscience.

Jamison le regarde, les yeux exorbités. Jarvis accourt et se place à côté de Seward.

— Pardonnez-moi, Monsieur !

— Plus tard, Jarvis !

— Excusez-moi d'insister, Monsieur, mais il m'a exposé son hypothèse et je crois qu'elle est intéressante. De plus, la fille trouvée ici pourrait également être une victime de Neumann. Le portrait de ce crime dépeint par Seward semble valoir la peine qu'on s'y arrête. Et comme vous nous avez chargés de cette enquête… suivre Neumann ne déroge pas à ce que vous nous avez demandé… J'ai transcrit son analyse dans votre calepin. Si vous voulez bien y jeter un coup d'œil ?

Jamison pèse le pour et le contre de la proposition. Au bout d'un moment, il tend la main vers Jarvis sans lâcher Seward du regard. Celle-ci dépose le calepin entre ses doigts. Il lit en diagonale la page laissée ouverte par la policière.

— D'accord, mais vous y allez ensemble. Ici, je peux continuer seul. Ne prenez aucun risque inutile, ne vous séparez pas et n'hésitez pas à appeler du renfort à la moindre alerte. C'est compris ?

— Compris, Monsieur ! répond Jarvis avec assurance.

Les deux agents filent vers la voiture de Seward sans demander leur reste. Ce dernier s'assoit derrière le volant et démarre sous l'œil menaçant de Jamison. Au premier tournant, ils croisent une camionnette de la télévision qui arrive en trombe.

12

**Mercredi 10 h, dans un quartier cossu de
Washington D. C...**

Seward gare son véhicule exactement au même
endroit que la veille, perpendiculairement à la rue où
habite la femme avec laquelle Neumann a rendez-vous.

— On y est, c'est à quelques maisons par là. J'espère
qu'il n'est pas trop tard. Tu prends le volant, moi je vais
me faufiler dans la forêt en face, jusqu'à la hauteur de
la demeure. Si je décèle quelque chose de louche, je
t'appelle et tu fonces. Ça va ?

— Ça va, acquiesce Jarvis en ouvrant la portière
pour se diriger vers le coffre arrière.

Seward la rejoint. Il se munit d'une radio et de jumelles. Jarvis s'empare également d'une radio, referme le
coffre et retourne s'asseoir derrière le volant, pendant
que Seward traverse la rue avant de disparaître entre les

arbres. Il choisit un poste de guet entre deux énormes chênes.

— Nicole, est-ce que tu me reçois?

— Cinq sur cinq.

— Je suis en place.

— Est-ce que la voiture de Neumann est là?

— Affirmatif.

— Tu vois quelque chose?

— Je ne vois rien à l'étage.

— Et en bas?

— Négatif. Je peux voir l'intérieur de la maison par la fenêtre du salon, mais il n'y a personne... Ah! ça y est, la femme est là, Neumann aussi.

— Qu'est-ce qu'ils font?

— Ils discutent.

— Ils discutent?

— Affirmatif.

Neumann et son hôtesse sont assis l'un en face de l'autre à une petite table en fer forgé installée là pour l'hiver, devant un vitrail qui donne sur la cour arrière. Les pâles rayons du soleil qui filtrent à travers les motifs colorés habillent la scène d'une ambiance sacrée. Neumann déguste paisiblement un bol de café au lait pendant que la propriétaire du logis, vêtue de sa plus belle robe de soirée, se réchauffe les mains autour de son bol de chocolat encore fumant. Elle prend la parole sur un ton résigné.

— La route m'a enlevé toutes les personnes que j'ai aimées. D'abord, il y a eu mon frère, puis mon mari il y a dix ans et, enfin, mon fils adoré et ma bru ça fera bientôt deux ans. Je n'ai plus personne dans la vie à part ma petite-fille. Elle est tout pour moi, confesse-t-elle en regardant Neumann dans les yeux, avant de détourner le regard et de fixer un arbre à travers un des petits hublots qui encadrent le vitrail.

Elle lève son bol de chocolat chaud, y trempe à peine les lèvres, le dépose et poursuit.

— Vous savez, je n'ai pas eu la vie facile, Professeur Neumann. Je vais vous raconter une histoire que je n'ai jamais révélée à quiconque. De toute façon, aujourd'hui, cela n'a plus aucune importance. Mon père n'était pas des plus parfaits. Il nous battait régulièrement mon frère et moi. Il utilisait tout ce qui lui tombait sous la main : ceinture, martinet, règle... Il possédait une belle voiture d'un blanc éclatant, une véritable pièce de collection, une grosse américaine des années trente. Il en était si fier qu'il ne l'utilisait que très rarement. Nous, les enfants, n'avions pas le droit d'y toucher, et encore moins d'y monter. Par un beau samedi matin de printemps tout ensoleillé, mon père sortit sa voiture blanche du garage et la gara dans l'allée, à côté de sa vieille berline noire, juste pour la voir briller. Mon frère avait la mauvaise habitude de rentrer à vive allure avec sa bicyclette et de freiner à la toute dernière minute en faisant déraper sa roue arrière pour me faire rire. Ce jour-là, il revenait d'une ballade dans le quartier quand il m'aperçut, assise sur le perron, les yeux rivés sur lui et son vélo. Il me servit alors son numéro habituel, mais mon père venait de retirer du coffre arrière de sa berline les sacs de sable qui servaient à l'alourdir l'hiver. Mon frère n'avait pas vu la scène. Malheureusement, un des sacs était percé et laissa une traînée de sable dans l'allée. Quand il s'en rendit compte, il était déjà trop tard. Il dérapa et alla s'écraser lourdement contre la voiture de collection. Par miracle, il n'eut pas la moindre égratignure, mais son guidon avait laissé une longue éraflure sur la portière. Mon père, qui revenait avec une pelle et un balai pour ramasser le sable, entra dans une rage folle. Au lieu d'aider mon frère à se relever, il lui asséna un coup de pelle derrière la tête… Un coup de pelle pour une éraflure ! Mon frère venait tout juste d'avoir sept ans. Je m'en souviens comme si c'était hier et pourtant, je n'en avais que cinq… Par miracle, mon frère n'en garda aucune séquelle, à part une cicatrice derrière l'oreille. À la mort de mon père, il vendit la voiture et donna l'argent à une œuvre de charité… Et, croyez-le ou non, ni mon frère ni moi n'avons jamais mis les pieds dans cette voiture. Frapper un enfant que vous avez mis au monde… Les humains font parfois vraiment pitié, conclut la dame en sirotant son chocolat. Vous savez ce qui me ferait plaisir ?

— Non, quoi ?

— C'est que vous m'offriez une danse. J'adorerais valser avec vous.

Neumann se lève et se dirige vers un vieux meuble en bois. Il ouvre les portes et farfouille parmi les cédéroms. Il en sélectionne un et se retourne.

— Johann Strauss. *Voix du printemps* vous conviendrait-il ?

— C'est parfait.

— Allons-y pour une valse.

Neumann sourit à sa partenaire et insère le cédérom dans le lecteur. Il règle le volume et retourne à la table faire sa demande.

— Gente dame, me feriez-vous l'immense honneur d'accepter de danser avec votre humble serviteur, convie Neumann en faisant la révérence, la main tendue.

À l'autre bout de la rue, Jarvis, qui n'a plus de nouvelles, s'impatiente.

— Que se passe-t-il, Simon ?

— Je crois qu'il l'invite à danser.

Pendant ce temps, dans le salon, la femme affiche un visage radieux et savoure ce doux moment. Elle dépose sa main dans celle de son cavalier et tous deux se mettent à virevolter au rythme envahissant de la valse. Ils se laissent transporter par la musique, oubliant les affres de la vie. Ils tournoient tant et si bien qu'ils effleurent un guéridon sur lequel trône un splendide vase qui se met à danser à son tour. Bien que la reine du bal et son chevalier servant soient tous deux parfaitement conscients de l'imminence de sa chute, ils ne s'en préoccupent nullement, préférant se laisser enivrer par le son envoûtant des instruments. Alors que plus rien ne semble pouvoir les atteindre, le vase s'écrase sur le sol dans un fracas qui rompt le charme du moment. La magie cède la place à la dure réalité et la pauvre dame, exténuée, glisse entre les bras de Neumann qui a peine à l'empêcher de s'écrouler à ses pieds.

— Laissez-moi vous aider.

— Non, ce n'est rien.

La dame tente de se redresser. Après de vains efforts, elle accepte la main tendue de Neumann qui la prend par la taille et la soulève délicatement.

— Ça va aller ?

— Je crois qu'il est temps pour moi d'aller me reposer, se résigne-t-elle.

Neumann l'accompagne jusqu'au pied de l'escalier. La femme pose sa main sur la rampe en bois.

— Attendez-moi, demande Neumann.

Il court arrêter la musique et revient offrir le bras à son hôtesse. Cette dernière s'engage dans l'escalier, une main sur la rampe et l'autre dans celle de son cavalier. Mais son teint se fait de plus en plus livide et elle s'effondre. Neumann a tout juste le temps de la retenir avant qu'elle ne s'évanouisse. Il la soulève dans ses bras et grimpe l'escalier avec précaution. Il parvient enfin à sa chambre et la dépose doucement sur son lit. Puis il s'empare d'une chaise et s'assoit à son chevet. La dame ouvre les yeux, cherche fébrilement la main de Neumann, la saisit et la porte contre son cœur.

— Cette fois, ça y est. Vous savez ce qu'il vous reste à faire.

Neumann acquiesce d'un mouvement de la tête.

— Ouvrez le tiroir de la table de nuit, je vous prie, demande la femme d'une voix affaiblie en lâchant la main de son invité.

Neumann s'exécute, mais il suspend son mouvement en apercevant un écrin de velours. Devant le regard insistant de son amie, il le prend et le pose sur ses genoux.

— Ouvrez-le maintenant, le prie la dame.

Neumann soulève le couvercle et dévoile un superbe collier de diamants.

— Ce collier n'est pas à moi. Il a été offert à ma bru par mon fils. J'aurais bien aimé qu'un homme m'en offre un semblable. J'ai toujours été fière que mon enfant chéri fasse un tel présent à sa bien-aimée. Il l'adorait. C'était tellement beau quand il l'étreignait avec tendresse. Il l'aimait comme un homme... un vrai. Vous savez, tout ce qui est ici est désormais à vous. Mais ce collier doit revenir à ma petite Irène...

— Ne vous inquiétez plus. Je m'occupe de tout maintenant, promet Neumann.

La femme plonge son regard dans celui de Neumann. Ce dernier baisse les yeux et fixe le sol. Un long silence s'installe dans la pièce.

— Vous allez devoir m'excuser, j'aimerais me reposer à présent. N'oubliez pas de dire à ma petite sirène que je l'aimerai toujours, supplie la dame avant de fermer les yeux pour la dernière fois.

Neumann referme l'écrin, le glisse dans sa poche et se retire sur la pointe des pieds. Il descend au salon et donne un coup de téléphone.

— Bonjour, Docteur... Auguste Neumann à l'appareil... Ça y est... Bien.

Il raccroche et sort de la maison en verrouillant la porte à double tour. Il monte dans sa voiture et quitte les lieux en tournant vers la gauche.

— Neumann vient de s'en aller. J'arrive à toute vitesse, lance Seward qui commentait toute la scène à Jarvis.

— Comment, tu arrives à toute vitesse ? Je passe te prendre, s'écrie Jarvis furieuse.

— Non, ne fais pas ça !

Insensible à la prière de son collègue, Jarvis démarre en trombe. En un temps record, elle se retrouve à la hauteur de Seward qui se fraie un chemin à travers les branches. Ce dernier émerge de la forêt, monte dans la voiture et n'a pas le temps de refermer la portière que Jarvis a déjà fait demi-tour.

— Hé ! Qu'est-ce que tu fais ? Neumann est parti dans l'autre direction.

— Qu'est-ce qui s'est passé ? questionne Jarvis, folle de rage.

— Quoi, qu'est-ce qui s'est passé ? Tu vas dans la mauvaise direction. Neumann est parti dans l'autre sens.

— Un homme qui offre une danse à une dame qui va rendre son dernier souffle. Voilà ce qui s'est passé ! On a fait une belle connerie !

— Mais ça ne veut rien dire…

Jarvis le fusille du regard.

— Bon ! Comment voulais-tu que je le devine moi qu'il allait danser et non l'égorger. On doit le suivre Nicole, c'est ça notre plan.

— Non, pas du tout ! Notre plan était d'aller à la rescousse de la prochaine victime de *Jack l'Éventreur*. Maintenant, on fiche le camp d'ici… à moins, bien sûr, que tu veuilles qu'on retourne chez cette pauvre femme et qu'on lui demande si elle aurait décelé une lueur meurtrière dans le regard de Neumann pendant qu'il la faisait valser, question de lui rendre ses derniers instants plus agréables! hurle Jarvis. Tu sais, il existe des lois dans ce pays qui garantissent le droit à la vie privée et interdisent le HARCÈLEMENT.

— Attends, Nicole! Il a fait signer des papiers à cette femme hier soir et je l'ai vu partir avec sa fillette. Ce n'est pas rien ça, merde!

— Mais qu'est-ce que tu racontes? Tu ne vois pas que, même si ce que tu dis est vrai, tout ça est parfaitement légal! Il n'y a absolument rien qui cloche. Il n'y a que dans ta tête que ça ne tourne pas rond.

— Il y des tas de tueurs en série qui sont extrêmement gentils avec leur entourage, riposte Seward.

— La ferme, Simon! On a un travail d'enquête à faire et je compte bien le faire, avec ou sans toi. Suis-je assez claire?

— Ouais, ouais, dit Seward à mi-voix en se tournant vers la fenêtre, réalisant que, cette fois, il a dépassé les bornes.

— Pardon? Je n'ai pas bien compris.

— Oui. D'accord. On va faire notre enquête sur la mort de cette fille, consent Seward en haussant les épaules, le regard fixé sur la route.

— Christina Johnson!

— Christina Johnson, c'est ça, répète docilement Seward.

— Elle habitait le centre-ville et, puisqu'on est dans le coin, on va aller y faire un tour...

*
* *

11 h 30, au centre-ville de Washington D. C., sur Georgia Avenue…

Jarvis et Seward tournent dans le quartier depuis un moment lorsque Seward remarque deux jeunes filles qui déambulent sur le trottoir.

— Arrête-toi, Nicole, je vais aller voir ces filles, dit-il en pointant de la tête les deux piétonnes dont l'accoutrement et la démarche témoignent de leur métier.

Jarvis jette un coup d'œil dans la direction indiquée par son coéquipier.

— Bonne idée, approuve-t-elle en dépassant les deux jeunes femmes avant d'immobiliser son véhicule le long du trottoir.

Seward retire du carnet de Jarvis la photo de la victime, la glisse dans sa poche et sort de la voiture. Il avance au milieu du trottoir à la rencontre des deux filles.

— Bonjour, je suis l'agent Seward du FBI, se présente-t-il en montrant subtilement son accréditation pour ne pas trop attirer l'attention des autres passants et risquer de faire fuir les filles.

— On n'a rien fait, allez voir ailleurs, dit l'une d'elles en tirant par le bras son amie figée devant Seward.

— Reconnaissez-vous cette femme ? demande-t-il en brandissant la photo du cadavre de Christina sous les yeux de la jeune fille.

— Oh, mon Dieu ! s'écrie-t-elle en mettant ses deux mains devant sa bouche.

— Viens ! Ne reste pas là ! On va avoir des ennuis ! ajoute son amie qui la tire de plus belle, sans prendre la peine de regarder la photo.

— Vous la connaissez? relance Seward.

— C'est *Cookie*! s'exclame la jeune fille effrayée, en se tournant vers son amie qui arrache la photo des mains de Seward.

— Oh, merde! Qu'est-ce que c'est que ça? Elle est morte? demande-t-elle la lèvre tremblante.

— On a retrouvé son corps de bonne heure ce matin dans le Parc de Shenandoah… Je suis désolé, répond Seward en reprenant la photo.

Les deux filles en larmes se jettent dans les bras l'une de l'autre.

— Vous n'avez pas d'armes sur vous?

— Non, répond la première jeune fille.

— Montez dans la voiture, on sera plus tranquilles pour discuter.

Seward leur fait signe de le suivre. Les deux filles s'installent sur la banquette arrière. Le policier retourne s'asseoir à l'avant.

— Je vous présente l'agent Jarvis. Vous êtes?

— Laïla, et elle, c'est Brady, ajoute-t-elle voyant que sa compagne, qui jouait les durs il y a une minute à peine, est incapable de répondre.

— Pouvez-vous me dire quand vous avez vu Christina pour la dernière fois? interroge Seward.

Les deux jeunes filles restent muettes. Tout en conduisant, Jarvis les observe dans le rétroviseur.

— Écoutez, les filles, nous ne sommes pas des mœurs et nous sommes au courant pour le métier de Christina. Alors, aidez-nous, s'il vous plaît!

Laïla s'essuie les yeux du revers de la main et prend une grande inspiration.

— Hier, j'étais au parc avec elle. Elle ne voulait pas venir. Elle avait tellement de classe. Elle était si belle et si gentille. Elle ne voulait plus racoler dans la rue.

— Vous étiez au Parc de Shenandoah avec elle ! s'exclame Seward.

— Non, dans le coin de Brightwood, près de Rock Creek Park, au centre-ville. On travaillait ensemble.

— Quelle heure était-il la dernière fois que vous l'avez vue ?

— Il devait être aux alentours de minuit. Elle est montée dans une voiture pendant que moi je parlais avec un client.

— Vous avez vu l'homme avec qui elle est partie ?

— Non. La voiture était un peu plus loin et j'étais occupée… Je ne l'ai pas vue du tout. Elle avait l'air contente de partir avec lui, elle n'avait pas levé un seul client de toute la soirée. Elle était trop élégante pour eux. Les hommes dans le coin n'aiment pas tellement les filles aussi bien soignées. Ça les intimide et ils vont voir ailleurs. Quand elle est montée avec ce type, elle semblait souriante, raconte Laïla en fondant en larmes.

Seward la laisse se ressaisir avant de poursuivre son interrogatoire.

— Brady n'était pas là ?

— Non, elle était trop fatiguée, elle est restée chez elle, explique Laïla.

— Son véhicule, comment était-il ?

— Il était bleu nuit… un modèle comme le vôtre… du moins, je crois. Pour moi, toutes ces grosses voitures, c'est du pareil au même.

— Avez-vous remarqué s'il y avait un siège de sécurité pour enfant à l'arrière ?

— Non, je ne crois pas.

— Vous avez vu sa plaque d'immatriculation ?

— Non, pas du tout. Je vous l'ai dit, la voiture était loin.

— Avait-elle un quelconque signe distinctif ?

— Non, je ne sais pas, je n'ai rien remarqué.

— L'homme avec qui vous étiez à ce moment-là, pourrait-il nous aider ? Vous savez qui c'est ?

— Non ! C'était la première fois que je le voyais. Il a passé une bonne vingtaine de minutes à me parler. Il n'en finissait plus, il était incapable de se décider. Il n'était pas du coin. Il était jeune et portait une casquette à l'effigie des Red Sox. Il avait bu et n'arrêtait pas de fixer mes seins. Finalement, il s'est dégonflé et a filé juste après que Christina soit montée avec le type dans la voiture bleue.

— Oui, d'accord... Le type avec qui Christina est partie... de ce que vous en avez vu, c'était un Blanc, un Noir, il était costaud, gras, maigre ? Il avait environ quel âge ? Vous pouvez me le décrire ?

— Non, je n'ai rien vu de tout ça, je n'en sais rien. J'ai dit un type parce qu'on a presque exclusivement des hommes comme clients. La dernière fois que j'ai eu une femme, ça remonte à plus de deux ans et elle ne m'a même pas payée, avoue Laïla.

— À part vous et ce jeune homme à casquette, y avait-il d'autres personnes aux alentours ? Quelqu'un qui pourrait avoir vu quelque chose et nous aider ?

— Non, nous étions seuls. Quand j'ai vu qu'elle ne revenait plus, j'ai cru qu'elle avait trouvé un client pour la nuit. Alors, je suis rentrée chez moi sans plus m'inquiéter.

— Vous n'avez rien remarqué d'étrange dans la soirée, ou les soirs précédents ?

Laïla fait signe que non.

— Vous n'avez pas entendu une copine se plaindre d'avoir été sermonnée ou malmenée par un client, d'une façon inhabituelle ces derniers temps ?

Laïla fait encore signe que non.

— D'accord… Emmenez-nous à l'endroit exact où vous l'avez vue pour la dernière fois. Après, on vous déposera où vous voulez. Avertissez vos copines qu'il y a un maniaque qui traîne dans le coin. Qu'elles se tiennent deux par deux, qu'elles évitent les inconnus, qu'elles ne montent pas dans une voiture si elles ont un mauvais pressentiment et, surtout, qu'elles ne partent pas avec un homme sans qu'une autre fille ne l'ait vu. Oh ! encore une chose. Dites-leur de garder une grosse coupure sur elles, d'y apposer un signe distinctif et d'en informer une amie. Comme ce type a dépouillé Christina de tous ses biens, il est possible qu'il vole l'argent de ses victimes. Si, par malheur, l'une de vous devient sa prochaine cible, on réussira peut-être à le retracer comme ça. Tenez, voici ma carte. Si vous désirez me parler, n'hésitez pas.

13

12 h, dans une modeste demeure, en banlieue de Washington D. C…

Une retraitée écoute la télévision, assise confortablement dans son salon. Alors que le bulletin d'informations commence, elle se lève et se dirige lentement vers la cuisine. Elle traverse un petit couloir au mur tapissé d'une série de photos la représentant à toutes les époques de sa vie, ainsi que celles d'un homme en habit de policier et d'un groupe d'officiers en uniforme d'apparat en compagnie de leurs bergers allemands. Elle ouvre son réfrigérateur et en sort un sac de carottes miniatures. Elle les dépose sur une planche à découper et les tranche en petites rondelles. Le niveau sonore du téléviseur est si élevé qu'elle n'a aucune peine à entendre les propos du présentateur.

— Triste nouvelle maintenant. Nous avons appris
en exclusivité que le cadavre d'une jeune femme a été
retrouvé non loin de Chester Gap, dans le Parc national
de Shenandoah. Notre estimé collègue William Becker
est le premier journaliste arrivé sur les lieux. Sans plus
tarder, voici le reportage qu'il nous a préparé.

La dame dépose en hâte les rondelles de carottes
dans un bol en verre taillé et les emporte dans le salon
où elle s'installe de nouveau devant son téléviseur.

— ... C'est une bien macabre découverte qu'a
faite hier soir un citoyen de ce petit coin de pays, alors
qu'il se promenait dans le paisible et majestueux Parc
national de Shenandoah. Les images exclusives que
vous voyez ont été tournées ce matin même, alors que
les forces de l'ordre venaient à peine d'arriver sur les
lieux de ce qui, selon toute vraisemblance, aurait été
la scène d'un rituel meurtrier. Vous pouvez voir sur la
civière juste derrière moi le cadavre de la victime. Il
s'agit d'une jeune femme de vingt ans. Les policiers
ont déjà identifié le corps, mais nous ne pouvons vous
divulguer le nom de la victime, sa famille n'ayant pas
encore été avisée de cet horrible drame. C'est dans
une clairière non loin d'ici que cette pauvre fille aurait
été trouvée. J'ai à mes côtés Jimmy Parker. C'est cet
homme qui a fait la triste découverte. N'est-ce pas
Jimmy ?

Le journaliste invite le témoin intimidé à s'approcher
et lui tend le microphone. Parker ne fait que bouger la
tête de haut en bas en regardant l'écran d'un air ahuri.
Le journaliste ramène rapidement le microphone vers
lui.

— Le corps était totalement dénudé et recouvert de bleus, c'est bien ça Jimmy?

De nouveau, Parker ne fait que hocher la tête. Dépité, le journaliste retire le microphone, s'écarte de quelques pas et poursuit seul son reportage.

— La population locale est bien évidemment encore sous le choc. Une escouade canine devrait débarquer d'un moment à l'autre pour ratisser le secteur à la recherche d'indices. Mais avec le terrible orage qui est tombé sur la région cette nuit, les autorités du Parc nous ont confié ne fonder que de très minces espoirs. Pour l'instant, le FBI, qui est chargé de l'enquête puisque nous nous trouvons dans un parc fédéral, ne détient aucun suspect concernant ce mystérieux homicide. Il recherche activement celui que l'on a surnommé ici *Le Tueur de la Belle au bois dormant*. Si vous croyez posséder des informations qui pourraient aider les autorités à résoudre ce meurtre, n'hésitez pas à communiquer avec le FBI au numéro qui apparaît au bas de votre écran. C'était William Becker, au Parc national de Shenandoah.

Estomaquée, la dame avale précipitamment un dernier morceau de carotte avant de déposer son bol sur la table basse devant elle. Elle se redresse sur le bord de son fauteuil, s'empare du téléphone et compose le numéro du FBI.

— Oui, allo?

— Madame, j'ai un renseignement pour vous concernant la mort de la jeune fille…

— De quoi parlez-vous, à qui voulez-vous parler? demande la jeune femme au bout du fil.

— Au FBI… Je ne suis pas au FBI?

— Non, comment se fait-il que vous ayez ce numéro, qui vous l'a donné ? Ici, c'est une résidence privée, sermonne froidement l'interlocutrice à l'autre bout du fil.

— Excusez-moi. Excusez-moi Mada…

Sans la moindre délicatesse, la jeune femme offusquée raccroche sèchement au nez de la pauvre dame qui continue de se confondre en excuses.

14

15 h 30, dans la salle de conférences adjacente au bureau de Jamison...

Jamison entre en coup de vent. Jarvis, Seward, Castelli, Peter Bayer, Carl Brown et deux autres enquêteurs chevronnés sont déjà assis autour de la table.

— Qui veut commencer ? lance Jamison pendant qu'il retire son veston et le dépose sur le dossier de sa chaise avant de s'asseoir.

— J'ai révisé à fond tout ce qu'on a recueilli sur Bill Bill. Il n'est pas facile à cadrer. On sait qu'il n'était pas marié et qu'il n'avait pas d'enfant. Si l'on se fie à son dossier, il n'avait pas non plus de petite amie. Par contre, il s'est fait des amis à l'hôpital, beaucoup d'amis, commence Bayer.

— C'est bien connu que les dingues savent s'apprécier, l'interrompt Jarvis avec un sourire.

161

— Qui s'assemble se ressemble, surenchérit Castelli pour détendre l'atmosphère et intégrer la jeune femme au groupe.

— Ce sont des employés de l'hôpital dont je parle...

De grands éclats de rire accueillent cette remarque. Bayer sourit à son tour et reprend.

— ... une femme médecin et un infirmier, un homosexuel qui avait apparemment beaucoup de respect pour Bill. J'ai examiné tout ça et je n'aboutis pas à grand-chose. Cependant, j'ai regardé attentivement les photos de son cadavre et j'ai remarqué quelque chose qui m'a intrigué. Il avait un tatouage sur le sein gauche. J'ai vérifié si l'on en faisait mention dans les notes, mais je n'ai rien trouvé à ce sujet. On dirait que personne ne s'y est intéressé.

— De quoi s'agit-il? demande Jamison, intrigué à son tour.

— Il s'agit d'un vieux tatouage qui doit dater d'une bonne trentaine d'années, peut-être même plus, d'après son style. Il représente un cow-boy souriant qui monte un cheval campé sur ses pattes arrière. Le cow-boy porte un énorme chapeau et tire la langue. Dans sa main gauche, il brandit une bouteille vide en verre transparent qui a la même forme que les vieilles bouteilles de lait. De la droite, il tient un lasso au bout duquel une vache tachetée noire et blanche, une Holstein est prise au piège par le haut d'un de ses sabots. La vache a l'air effrayé. Elle est couchée sur le dos les quatre fers en l'air...

— Montrez-moi cette photo! commande Jamison en tendant la main.

— J'ai fait agrandir le tatouage à tout hasard, explique Bayer en refilant le cliché à Brown à sa gauche qui le passe à Castelli. Celui-ci y jette un rapide coup d'œil avant de le relayer à Jamison assis à l'extrémité de la table.

— Comme il n'en est pas fait mention dans le dossier, je me demandais si je devrais faire une enquête sur la provenance et la signification de ce tatouage. En retrouvant le tatoueur, en supposant qu'il soit encore en vie et que j'arrive à le retracer, il pourrait peut-être nous dire quand et pourquoi Bill l'a fait faire. Mais, bien sûr, cela nécessiterait d'investir du temps, sollicite Bayer en regardant Jamison.

— Qu'en dites-vous, Castelli? questionne Jamison, relançant la balle dans le camp de son bras droit.

— Je crois que l'on peut tenter le coup, répond Castelli, plutôt tiède à cette idée.

Jamison contemple la photo en réfléchissant. Tous se taisent, dans l'attente de sa décision. Perplexe, le directeur fait pivoter sa chaise. Puis il s'immobilise et lève les yeux sur Bayer.

— Bon d'accord, allez-y! consent-il en lançant la photo qui glisse jusqu'à l'autre bout de la table où elle termine sa course sous la main de l'enquêteur. Castelli, c'est à vous. Où en êtes-vous?

— J'ai interrogé quelques citoyens de Bifield, mais c'est le néant. J'ai ensuite rencontré un certain Samuel Joseph qui travaille comme journalier à l'église. C'est un retraité qui a passé toute sa vie là-bas. Il m'a parlé du pasteur Douglas comme d'un homme sans histoire. Il m'a raconté qu'il avait déjà adopté une fille à l'orphelinat de Boston. La fillette ne vécut cependant qu'une seule journée chez lui. Le lendemain du jour où il l'avait ramenée au presbytère, elle fut retrouvée morte au bord de la forêt, affreusement mutilée. Une autre fille du coin avait été découverte, la veille, dans des circonstances similaires. Ces deux meurtres n'ont jamais été élucidés. À coup sûr, ces pauvres filles ont croisé la route d'un tueur en série. Mais cela remonte à 1964 et, à cette époque, l'expression « tueur en série » n'existait même pas. J'ai fouillé leurs dossiers d'enquête et personne n'a jamais été interpellé ni même suspecté. Un des policiers d'État qui ont découvert le corps de l'une des fillettes est toujours en vie et passe régulièrement faire un tour au poste de police. Je compte bien le rencontrer. Mais ce n'est pas tout. La femme du pasteur se serait suicidée huit ans après la mort de sa fille adoptive.

— Intéressant.

— Oui, c'est ce que je me suis dit également. Tous ces morts, c'est intrigant. Mais attendez, il y a plus encore. Une femme âgée vient à ce cimetière tous les dimanches. Elle dépose des fleurs sur la tombe d'une famille décimée dans un accident de voiture il y a de cela près d'une quarantaine d'années.

— Les fillettes ne sont-elles pas disparues à la même époque ? interroge Brown.

— Exactement. Le couple McBerry et les deux fillettes sont morts à quelques jours d'intervalle. J'ai l'intention de retourner au cimetière dimanche pour rencontrer cette vieille dame qui, apparemment, se déplace toujours en limousine accompagnée d'un chauffeur.

Jamison constate que Seward a le nez plongé dans ses notes et qu'il n'écoute pas le compte rendu de Castelli. Il se tourne alors vers son bras droit.

— D'accord, vous continuez avec ça. Vous n'avez encore rien du côté du labo qui pourrait vous aider ?

— Pas pour l'instant, répond Castelli.

Jamison se retourne vers Seward, toujours absorbé par sa lecture.

— Seward ! Vous êtes toujours parmi nous, n'est-ce pas ?

Seward sursaute et relève la tête.

— Bien sûr, Monsieur !

— Je vous écoute, c'est à vous.

— Nous avons parlé à des amies de Christina. Apparemment, elle travaillait toujours dans la rue. L'une d'elles nous a raconté l'avoir vue hier soir partir à bord d'une automobile semblable à celle d'Auguste Neumann, Monsieur. Depuis, plus personne ne l'aurait revue vivante.

— Est-ce que cette jeune fille peut identifier l'homme avec qui elle est partie ?

Jarvis, qui n'apprécie pas le compte rendu de son collègue, prend la relève.

— Non, malheureusement ! Les deux copines nous ont conduits à l'endroit où elles ont vu pour la dernière fois Christina et la voiture suspecte, mais on n'y a trouvé aucun indice. S'il y en a déjà eu, l'orage a tout effacé. Christina avait un petit ami violent. On a vérifié de ce côté-là ; il est en prison depuis trois semaines pour une affaire de drogue et il n'a aucun droit de sortie. Elle n'avait plus de souteneur ; elle travaillait à son propre compte. Son dernier, un certain Donavan Doyle, surnommé Dick, a quitté Washington pour Miami il y a plus d'une semaine. De toute façon, il ne s'intéressait plus à elle depuis des mois, d'après les filles. Il n'y a apparemment pas de guerre entre les proxénètes dans le coin ni de conflits pour le contrôle de la drogue qui pourraient expliquer ce meurtre. Christina n'avait pas de dette connue dans le milieu, ni ailleurs non plus. Elle n'a jamais contracté d'assurance vie et ses amies semblaient beaucoup l'apprécier.

— Qu'a donné votre filature de ce matin ?

Seward s'apprête à répondre mais, cette fois encore, Jarvis s'empresse de prendre la parole.

— Ils dansaient dans le salon, Monsieur, résume-t-elle brièvement en espérant que Jamison n'insiste pas.

Seward contemple la table en secouant la tête de gauche à droite.

— Alors, continuez de chercher. Ce soir, vous partirez à la même heure et du même endroit où Christina a été vue vivante pour la dernière fois. Vous referez le trajet jusqu'au parc où son corps a été retrouvé, question de voir si un oiseau de nuit se promenait par là et aurait vu quelque chose de suspect. Si cela n'est pas concluant, interrogez les policiers qui ont patrouillé dans le secteur cette nuit... Et les enfants ? poursuit Jamison qui s'en tient aux étapes à suivre.

— En quittant le Parc de Shenandoah ce matin, nous avons tout de suite communiqué avec leur école. La directrice nous a affirmé qu'ils étaient bel et bien arrivés à l'heure habituelle en compagnie de leur gardienne. Mais, comme ils avaient une sortie éducative, ils étaient déjà partis pour le musée. Nous avons avisé les Services sociaux. La préposée nous a informés que l'intervenante qui sera chargée du dossier communiquera avec nous dès que possible. On a aussi visité l'appartement de Christina. Tout nous a paru en ordre et l'on n'a décelé aucune trace de vol ou d'indication qu'il y aurait eu de la violence. On a tout passé au peigne fin… En fait, c'est une façon de parler, mais on n'a pas ménagé nos efforts, Monsieur. On a même inspecté les chambres des enfants, mais tout y était impeccablement rangé. On voulait vérifier également ses ordures, mais il n'y en avait pas. Le ramassage a eu lieu ce matin même dans sa rue. Selon deux de ses voisins, elle les sortait toujours la veille, avant de partir travailler. Ces derniers n'avaient rien à signaler de particulier, débite Jarvis, qui veut éviter que Seward ne se mette à développer de nouvelles idées sur le cas Neumann devant Jamison.

— Bon ! Nous avons mis à l'œuvre l'escouade canine. Les chiens ont été réduits à tourner en rond sans rien trouver, car le terrain était détrempé. Leurs maîtres nous avaient prévenus. Un des membres de l'équipe compte retourner s'y balader avec son chien vendredi ou samedi. Mais il ne faut pas en espérer grand-chose…

Jamison est interrompu par trois coups frappés à la porte. Sa secrétaire entre et se dirige vers lui à toute vitesse. Elle se penche et lui chuchote à l'oreille. Tout le monde se tait.

— Merci, répond Jamison en souriant.

La messagère quitte aussitôt la salle en refermant la porte derrière elle. Jamison prend son air le plus officiel.

— Le tueur de Christina Johnson vient d'être baptisé par les médias. Nous recherchons désormais *Le Tueur de la Belle au bois dormant.*

15

Au même moment, dans un centre communautaire de Baltimore...

Trois coups énergiques résonnent dans le grand hall. Un gardien, qui travaille bénévolement pour l'établissement, ouvre précipitamment la porte d'entrée et tombe nez à nez avec Neumann. L'homme sursaute.

— Oui ? demande-t-il, tout bedonnant dans son uniforme bleu foncé.

— Je cherche l'école de ballet amateur. Ai-je frappé à la bonne porte ? s'enquiert Neumann avec un sourire.

— Oui, mais il n'y a personne à cette heure-ci. C'est à quel sujet ?

— Je voulais rencontrer la directrice pour un don.

— Oh, oh ! Entrez, je vous en prie ! le convie le gardien en reculant pour laisser passer le bienfaiteur. La directrice sera ici dans moins d'une heure. Vous pouvez vous asseoir ici en attendant, l'incite-t-il, conscient des difficultés financières de l'école.

Neumann entre et longe un couloir orné de photos de groupes d'étudiants. Il s'arrête et les examine minutieusement, comme on le fait dans une galerie d'art. Ravi de la présence de ce mécène inespéré, l'homme se dirige vers une petite table où trône une cafetière, tout en poursuivant son monologue.

— Vous savez, Madame Bishop est un professeur très respecté dans le milieu. C'est vrai que je ne connais pas grand-chose là-dedans, mais enfin... Vous ne voulez pas vous asseoir? Je vous sers un café? offre-t-il gentiment, tentant par tous les moyens de mettre Neumann à l'aise.

— Non, merci. Il semble y avoir beaucoup d'élèves dans votre école. Cela doit représenter une énorme charge de travail pour votre directrice.

Le gardien, qui lui tourne le dos, se verse un café.

— Elle n'y arriverait pas seule, c'est certain. Elle est secondée par trois autres professeurs. Dommage que nous ne soyons pas jeudi, car vous auriez pu tous les rencontrer. Alors que, ce soir, le seul cours qui était prévu au programme a été annulé. D'ailleurs, lorsque je vous ai vu, vous m'avez fait une peur terrible. Je croyais que vous étiez l'un de ces pères qui harcèlent la directrice quand un cours est reporté. Certains parents viennent déposer leurs enfants vers seize heures et ne reviennent les chercher que vers les vingt et une heures. Ils se servent de l'école comme d'un lieu de congé parental. Mais je ne devrais peut-être pas vous ennuyer avec ça. Madame Bishop ne serait pas fière de moi si je vous faisais fuir avec mes histoires, achève le gentil gardien, qui commence à craindre de perdre un donateur.

— Comme ça, il y aura des cours demain?

— Oui. On a dû fermer lundi pour des problèmes de tuyauterie et, comme je vous le disais, même le cours de ce soir a été annulé. Il sera repris demain. Nous serons tous là.

Neumann consulte sa montre.

— Je crois que je vais devoir vous quitter. Je repasserai demain, promet-il, le sourire aux lèvres.

Sous le coup de l'émotion, l'homme avale d'un trait une gorgée de café bouillant qui lui brûle le palais.

— Non, non ne faites pas ça, Monsieur! Mon Dieu, j'ai dit quelque chose qu'il ne fallait pas? C'est ça?

Il dépose sa tasse sur la table et se prend la tête à deux mains.

— Non, ce n'est pas ça. Ne vous inquiétez pas! Il se fait tard et je vais revenir demain, le rassure Neumann en se dirigeant vers la sortie.

— Vous savez, je ne suis pas très intelligent, mais je sais très bien que, si vous partez maintenant, vous ne reviendrez probablement pas et Madame Bishop sera furieuse contre moi quand elle apprendra que je vous ai fait fuir. Et les enfants par ici n'ont pas la vie très facile. Certains vivent dans des quartiers sordides. Ils n'ont que la télé pour oublier un peu leur misère et ces cours leur permettent de se libérer de leurs tracas quotidiens…, plaide le gardien en suivant Neumann.

Ce dernier se retourne et lui prend la main.

— Comment vous appelez-vous?

171

— Steve. Je ne vous ai même pas demandé votre nom… Oh la la ! réplique le gardien désemparé.

— Moi c'est Auguste. Vous avez ma parole, Steve, je vais revenir demain soir à peu près à la même heure. N'ayez aucune crainte, s'engage Neumann en lui serrant franchement la main.

16

21 h, à Washington D. C...

Dans une mignonne petite chambre tapissée de rose,
Jackie, une fillette de cinq ans, s'apprête à se coucher.
Elle se cale sur son oreiller de dentelles à motifs fleuris.
Sa mère, Cassandra, s'assoit sur le bord du lit et dépose
un baiser sur le petit front de satin.

— Tu vas faire un beau dodo, ma chérie.

— Oui, maman. Tu restes avec moi?

— Oui, je vais lire jusqu'à ce que tu t'endormes,
répond Cassandra en saisissant une revue de mode sur
la table de nuit.

— Tu me réveilleras avant de partir travailler?
insiste la fillette en se soulevant sur un coude.

— Oui, ma belle, je vais te réveiller juste avant de
partir.

— Promets-le!

— C'est promis.

Satisfaite, la petite fille émet un petit rire cristallin et repose sa tête sur l'oreiller. Avec un grand sérieux, elle examine sa mère de la tête aux pieds, étudie ses cheveux remontés en chignon et s'attarde sur ses lourdes boucles d'oreille.

— Est-ce que tu vas me laisser porter tes boucles d'oreille, maman ?

— Oui, mais pas ce soir.

L'enfant pose alors de grands yeux sur les épaules de sa mère et détaille le petit chemisier blanc, noué sous le buste, qui dévoile son ventre musclé. Elle descend le regard jusqu'au nombril où elle observe le mouvement perpétuel des respirations de sa mère. La fillette y dépose sa petite main. Puis elle contemple la jupe rose moulante qui laisse découvrir de longues jambes fines, comme elle espère en avoir un jour.

— Maman, tu es la plus belle du monde ! déclame-t-elle avant de sombrer lentement dans un profond sommeil.

Cassandra dépose sa revue, sort de la chambre sur la pointe des pieds et quitte l'appartement. Dans l'escalier, elle croise sa copine de travail qui montait la chercher. Toutes deux sortent de l'immeuble et déambulent bras dessus bras dessous sur le trottoir. Un officier de marine vêtu de blanc de la tête aux pieds les siffle. Cassandra se retourne et lui décoche un clin d'œil. Le jeune homme lui renvoie un salut de la main en arborant un sourire éclatant. Les deux jeunes femmes tournent à droite au coin de la rue qui débouche sur une avenue mal éclairée. Après quelques pas, elles s'apprêtent à traverser quand une voiture s'immobilise à leur hauteur. Les deux filles se font la bise et Cassandra monte à bord du véhicule qui démarre en trombe.

— Au revoir ! s'écrie son amie restée sur le trottoir, en envoyant de grands signes de la main en direction de la grosse voiture noire qui s'éloigne.

Cassandra esquisse un dernier signe de la main avant de se retourner pour se consacrer au chauffeur avec un sourire de circonstance.

— Où allons-nous ?

— Pas très loin d'ici.

La voiture poursuit sa course à vive allure.

— Tu vas où là ? répète-t-elle en constatant que le trajet commence à s'éterniser.

Le bolide emprunte alors un échangeur et fonce vers l'autoroute.

— Hé ! Non, non ! Ramène-moi d'où l'on vient ! commande Cassandra.

Mais le chauffeur négocie la courbe sans même ralentir et accède à la voie rapide. Il fait noir et pas une seule voiture ne les croise. Elle saisit alors la poignée de la portière et fait mine de l'ouvrir.

— Descends-moi ici tout de suite !

Mais l'homme continue de foncer sur la grande route. De plus en plus effrayée, Cassandra fouille fébrilement dans son sac à main à la recherche de son téléphone portable. L'homme lui administre une claque sur les mains. Sac et téléphone vont s'écraser sur le plancher de la voiture, à ses pieds. Cassandra attrape la boucle de sa ceinture de sécurité. Sans prévenir, l'homme lui assène une violente gifle en plein visage. La tête de la jeune femme heurte la portière et son chignon se dénoue. Affolée, elle tente désespérément de déboucler la ceinture, mais elle reçoit un coup de poing sur le nez, puis un second et un troisième. Son corps s'affaisse mollement vers l'avant. Seule la ceinture de sécurité l'empêche d'aller rejoindre ses effets au fond du véhicule.

Soudain, la voiture s'engouffre dans une forêt dense par un sentier indiqué sur une vieille pancarte orange affichant *Privé*. Au bout d'un moment, elle s'immobilise. L'homme sort du véhicule et se dirige vers le coffre arrière. Il l'ouvre, dévoilant ainsi le corps nu de Cassandra qui y gît, inanimée. Réveillée par l'air frais, celle-ci ouvre les yeux et se met à hurler devant la noirceur qui règne sous l'épais couvert végétal.

La porte de la chambre de la petite Jackie s'ouvre. Cassandra allume la petite lampe et accourt vers sa fillette en nage, assise bien droite dans son lit, le dos appuyé contre le mur.

— Maman! Maman! Maman!

— Maman est là, ma chérie. Ce n'est rien. Ce n'est rien. Tu as fait un cauchemar, murmure la jeune femme en la serrant contre son cœur. Tu veux me le raconter?

Encore sous le choc, l'enfant fait signe que non de la tête. Sa mère commence à se lever, mais elle l'agrippe par la taille.

— Allons, allons! Ne crains rien! répète doucement Cassandra en la berçant et en caressant ses bouclettes. Je vais juste à la cuisine. Je reviens tout de suite et tu me raconteras.

Cassandra réussit à se dégager et se dirige vers la cuisine. Elle revient au bout d'un instant avec un verre d'eau fraîche et une boîte de mouchoirs en papier. Elle s'installe sur le bord du lit pendant que la petite Jackie se mouche avant de se désaltérer.

— Maintenant, est-ce que tu veux me raconter ton cauchemar ? demande Cassandra en étreignant sa fille.

— Tu es partie sans me réveiller…, accuse Jackie qui s'est sentie trahie dans son propre songe.

— Mais je ne fais jamais ça et je ne le ferai jamais. Je t'avais promis que je te dirais au revoir avant de partir.

— Tu marchais dans la rue et un affreux monsieur t'a fait monter dans sa voiture.

À l'évocation de cette scène, l'enfant se remet à pleurer.

— Mais non, ma chérie, la console la mère en lui caressant le dos.

— Il te faisait du mal…, raconte péniblement la fillette inconsolable.

Soudain, toutes deux entendent s'ouvrir la porte d'entrée.

— Il y a quelqu'un ? crie Samantha, l'amie de Cassandra, en s'avançant sans façon dans l'appartement.

— On est dans la chambre ! lui répond Cassandra.

— Je ne veux pas que tu meures, maman ! Reste ici ! braille Jackie.

— Mais qu'est-ce que tu racontes ? Il n'y a personne qui va mourir, voyons ! Ce n'est qu'un cauchemar. Écoute, dans ton rêve, je ne te disais pas au revoir. Mais

177

là, je te le dis, alors je viens de rompre le charme, tu vois. Tu n'as plus à t'inquiéter, la réconforte Cassandra avec un large sourire pour l'apaiser.

— Salut, qu'est-ce qui se passe ? demande Samantha en s'appuyant contre le chambranle de la porte de la petite chambre.

— Rien, rien du tout, répond sèchement la mère qui ne tient pas à ce que Samantha se mêle de cette histoire. Va m'attendre dans le salon, Sam ! J'en ai pour deux minutes.

Samantha fait demi-tour sans demander son reste et gagne le salon.

— N'y va pas ! supplie Jackie en regardant sa mère.

— Il faut que j'aille travailler, je n'ai pas le choix. Mais je te promets que, demain matin, en te réveillant, je serai dans la cuisine en train de préparer des œufs et du pain aux raisins grillé que tu aimes tant. Miam ! s'exclame la mère en se pourléchant les babines pour apaiser l'enfant qui esquisse un sourire. Bon, maintenant recouche-toi ! Maria va arriver d'une minute à l'autre. D'accord ?

Cassandra la borde tendrement. Petit à petit, la fillette reprend confiance. Elle essuie ses larmes pendant que sa mère lui caresse les cheveux. Elle s'endort presque instantanément, épuisée par les émotions. Cassandra l'embrasse, se lève, éteint la lumière et ferme la porte doucement avant de se diriger vers le salon.

— Maria, vous êtes là ? La petite a fait un affreux cauchemar, elle vient tout juste de se rendormir…

— D'accord, je ne vais pas la déranger la pauvre enfant, la rassure la dame d'une soixantaine d'années.

— Bon, il faut y aller! lance Samantha en s'extirpant de son fauteuil.

— Tu as raison.

Les trois femmes se dirigent vers la sortie et se saluent. Puis Maria referme la porte sur les deux copines qui descendent lentement l'escalier.

— Tu as l'air inquiet, remarque Samantha.

— Non, ce n'est rien. Ça va, allons-y.

— Je ne sais pas ce que j'ai bouffé, mais j'ai un horrible mal de ventre. Tiens, touche... Touche! insiste Samantha.

Cassandra appuie sur l'abdomen de son amie, ce qui déclenche un énorme gargouillis. Les deux jeunes femmes éclatent de rire et reprennent leur descente. Elles arrivent essoufflées sur le trottoir et avancent bras dessus bras dessous, toujours aux prises avec un irrésistible fou rire. Elles croisent un jeune boucher tout de blanc vêtu, un quartier de bœuf sur l'épaule. Il se retourne pour les siffler. Cassandra lui décoche un clin d'œil pendant que Samantha croule de rire. Le jeune homme lui répond de son sourire le plus éclatant, avant de poursuivre sa route. Bouleversée, Cassandra se fige. Elle n'a plus le cœur à rire.

— Il y a quelque chose qui cloche.

— Tu as du mal à digérer toi aussi? blague Samantha, incapable de maîtriser son fou rire.

— J'ai déjà vécu ça, s'inquiète Cassandra d'une voix tremblante.

— Quoi? Un homme qui te sourit? raille son amie.

— Tout ça, même ce que tu viens juste de dire.

— Bienvenue dans la cinquième dimension ! se moque Samantha en fredonnant l'indicatif de la série *Aux frontières du réel*.

— Je rentre chez moi, lance fermement Cassandra en rebroussant chemin d'un pas décidé.

— Quoi ? Qu'est-ce que tu dis ? Hé, où vas-tu ? C'est Jackie, c'est ça ? demande Samantha qui ne rit plus du tout. Ta fille t'a parlé de ce boucher ? questionne-t-elle en courant pour se maintenir à sa hauteur.

— Oui, c'est ça, répond machinalement Cassandra qui repousse la question du revers de la main en marchant d'un pas toujours aussi ferme.

— Mais voyons, ce n'est qu'un cauchemar d'enfant ! Tu ne vas pas…

Cassandra s'arrête et regarde Samantha droit dans les yeux.

— Non. En fait, ma fille ne m'a jamais parlé d'un boucher. J'ai une impression de déjà vu et je n'aime pas du tout ça, lance Cassandra avant de reprendre sa route.

— Pense à moi. Qu'est-ce que je vais faire toute seule ?

— Je ne sais pas… Appelle Judy !

— Judy ! Judy ! répète Samantha, scandalisée, en talonnant Cassandra. Mais je ne peux pas lui demander ça. Elle a dansé toute la journée dans un bled perdu et elle vient d'échouer sa seconde tentative de sevrage d'*héro* en autant de semaines… et je ne sais plus si elle va se sortir un jour de cette merde ou si c'est son cœur qui va la lâcher avant, mais à l'heure qu'il est, elle doit sûrement planer. Si je la réveille, elle va *flipper*, il faut

180

qu'elle dorme. Tu veux qu'elle claque ou quoi ? ... Mais arrête-toi ! C'est *Le Tueur de la Belle au bois dormant* qui te fait peur ?... C'est ça ?

Cassandra freine brusquement et se retourne vers elle.

— Mais de quoi parles-tu, Sam ?

— Quoi ! Tu ne regardes pas la télé ? Il y a un dingue qui a tué une fille du coin hier.

— Et c'est maintenant que tu me le dis !

— Ben quoi ?

— Laisse tomber, répond Cassandra qui reprend sa route.

— Laisse tomber ! Mais c'est toi qui me laisses tomber !

Cassandra s'arrête pour une troisième fois et saisit Samantha par les deux bras.

— J'ai vingt et un ans, Samantha, et toi tu en as combien ? Dix-neuf ?

— J'ai dix-huit ans, corrige Samantha en regardant par terre.

— Bon sang, ce n'est pas une vie ce qu'on fait là. J'ai une fille et je ne veux pas finir comme ça. Rentre chez toi. Toi aussi tu vaux mieux que ça, conclut sagement l'aînée avant de serrer Samantha dans ses bras.

Cassandra l'embrasse sur la joue et s'éloigne. Samantha la suit des yeux, les bras ballants.

— Je te rappelle demain après-midi… Fais la bise à Jackie pour moi ! crie la jeune femme qui ne veut pas perdre l'amitié de Cassandra.

Cette dernière se retourne une dernière fois, le temps de lui souffler un baiser.

17

**Jeudi matin, 7 h, dans la salle de conférences
adjacente au bureau de Jamison...**

Après une nuit blanche à parcourir l'hypothétique
trajet du tueur, Jarvis, assise à sa place habituelle,
épluche silencieusement le dossier sur la mort de
Christina Johnson. En face d'elle, Seward, bien
concentré, révise ses notes. Il lève la tête et observe
Jarvis.

— Qu'est-ce que tu regardes? questionne-t-il les
traits tirés.

— La photo du cadavre de Christina dans le rapport
du médecin légiste. Tous ces coups qu'elle a reçus,
répond Jarvis, tracassée par l'image macabre.

— Le labo a bien confirmé qu'il s'agissait d'ecchymoses provoquées par des coups de poing?

— Oui. Elle est morte d'hémorragie interne et aucune marque de violence n'est post mortem, acquiesce-t-elle en levant les yeux vers Seward.

Elle lui tend la photo. Seward la saisit et l'examine attentivement.

— On dirait que cette pauvre fille a servi de sac d'entraînement pour un boxeur.

— Le médecin qui a pratiqué l'autopsie nous a affirmé qu'elle n'a reçu aucun coup de poing au visage. Les blessures à la mâchoire et les dents cassées ont probablement été causées par une chute durant sa fuite, explique Jarvis. Ce salaud souhaitait la garder éveillée pendant ses séances de torture... Il devait éprouver du plaisir devant ses souffrances. Il voulait peut-être se mettre en appétit avant de la violer.

— Ou il en espérait autre chose, tente Seward.

— Où veux-tu en venir ? demande Jarvis, irritée de voir surgir le spectre de Neumann dans le regard de Seward.

Ce dernier comprend très bien qu'elle refuse de l'entendre encore épiloguer sur ses allégations à propos de supposés rites de purification présidés par Neumann.

— Nulle part... Mais une chose est certaine, c'est qu'on n'a trouvé aucune trace de viol, ni de pénétration buccale, anale ou vaginale. Mais son sexe aurait été lavé avec du savon antibactérien, de même que ses aisselles. Étrange pour un psychopathe ou un détraqué sexuel. Tu as une idée toi ?

Les deux agents s'étudient un moment.

— Tu sais quel métier elle faisait, Simon. Il n'y a rien qui dit que ce n'est pas elle qui s'est donné un lavement. On n'a pas retrouvé ce produit chez elle, c'est vrai, mais elle venait peut-être de terminer son flacon et elle n'avait pas levé un seul client de toute la soirée.

— Ah! Voyons, Nicole...

— Hé, mais où vis-tu, Simon? Tu n'as pas encore compris que Jamison sait depuis le début que Christina était une prostituée, car ces filles sont habituellement des cibles de prédilection pour ce genre de détraqué? Mais elle n'avait pas les doigts jaunis, pas de tatouage ni de piercing, ses dents ont été blanchies et ses ongles manucurés étaient courts et couverts de vernis transparent!

— Et alors? Des tas de filles se payent ce genre de soins de nos jours.

— Et alors! Des prostituées qui se font faire les ongles, ça existe, mais c'est pour se faire remarquer. Normalement, elles les gardent longs et les peignent de couleurs vives pour se faire voir. Est-ce que tu as saisi cette fois? reprend Jarvis.

Seward est bouche bée. Jarvis sourit et poursuit sa démonstration.

— Cette fille prenait soin d'elle et ne voulait pas attirer l'attention. Hé, réveille-toi, Simon! Une telle prostituée est destinée à une clientèle de prestige. Christina était péripatéticienne, mais elle devait ramasser les clients les plus distingués. Rappelle-toi ce que nous a dit sa copine Laïla. Christina avait de la classe...

— ... et ne voulait plus racoler dans la rue, complète Seward.

— Voilà! Les tordus de la haute exigent que leurs courtisanes affichent un certain niveau. Il y en a même qui leur font livrer la toilette qu'elles devront porter pour les accompagner.

— D'accord, Nicole, je comprends tout ça, mais ça n'a pas de sens dans le cas qui nous occupe ! Pourquoi l'avoir battue sans l'avoir violée ?

— Ah ! On voit bien que tu n'as jamais couché avec un homme, toi ! Certains, bien que relativement gentils au départ, introduisent petit à petit les insultes en faisant l'amour à leur femme ou à leur petite amie. Puis ils en viennent à la frapper pendant leurs ébats, ce qui ajoute un peu de piquant à leur couple. Jusque-là, tout le monde peut y trouver son compte. Mais vous, les hommes, vous n'en avez jamais assez. Et ces cinglés-là, il leur en faut toujours plus. Et quand leur femme essaie d'y mettre le holà, il est déjà trop tard. Ils ne peuvent plus s'arrêter et c'est à ce moment qu'entrent en scène les prostituées. Des tas d'hommes payent, et payent même très cher dans ce pays, pour ce genre de service. Neumann est un homme fortuné. Voilà pourquoi Jamison a accepté de le considérer comme un suspect sur ce coup-là, et pour rien d'autre. Tu sais, on a vraiment été bêtes hier de croire qu'il nous laissait suivre Neumann sur la base de ton hypothèse de châtiment inquisitoire. Tu n'as jamais entendu dire que les hommes qui avaient associé les plaisirs sexuels à la violence verbale ou physique n'étaient plus capables, après un certain temps, d'avoir d'érection sans y avoir recours. Ils deviennent comme des chiens qui ont goûté la chair humaine. Le type qu'on recherche doit être un impuissant totalement désaxé, et c'est pour ça qu'il ne l'a pas frappé au visage, car il voulait qu'elle reste belle pour pouvoir s'exciter le moment venu. Et s'il ne l'a pas violée, c'est tout simplement qu'il a dû la laisser seule cinq minutes et elle aura filé…

— Voyons, elle était pieds nus et en pleine forêt ! s'indigne Seward.

— … elle aura filé avant qu'il n'ait eu le temps de se la faire ! s'emporte Jarvis. Il doit être incapable de se satisfaire avec une femme sans la torturer. Celui qui a fait ça, Simon, n'a rien d'un grand penseur à la doctrine révolutionnaire ni d'un sociopathe qui parcourt le pays en convertissant des prostituées pour purifier la société. Il n'est rien d'autre qu'un putain de détraqué qui doit prendre son pied à regarder souffrir sa victime pendant qu'elle le supplie de la laisser partir avant qu'il ne la viole, si toutefois il en est capable !

— Tu as sans doute raison, Nicole. Cette fille est peut-être simplement tombée sur le mauvais client, et peut-être même que ce dernier est juste allé un peu trop loin et qu'il n'avait pas l'intention de la tuer, conclut-il, désireux d'éviter la confrontation.

Jarvis se détend. Seward s'apaise à son tour et reprend.

— Mais tu sais, nous n'avons pas recueilli beaucoup d'éléments pour l'instant. La seule piste dont on dispose, c'est le témoignage de cette fille, Laïla, qui dit avoir vu une Caprice classique marine…

— Non, elle n'a jamais dit une Caprice classique. Elle a dit une voiture comme la nôtre, Simon, corrige Jarvis.

— J'en conviens, mais c'est bien notre seul indice. On a passé la nuit à arpenter la route entre Washington et Chester Gap et l'on n'a croisé personne qui ait vu quoi que ce soit... Et si on lui faisait passer un test de plaque d'immatriculation ! s'exclame Seward, ravi de son trait de génie.

— Elle a dit ne pas avoir vu la plaque... Où veux-tu en venir ?

— C'est simple, on retourne voir Laïla avec une dizaine de numéros d'immatriculation parmi lesquels on insère celui de la voiture de Neumann. Si elle l'identifie, on le tient. Sinon, tant pis, quémande Seward, qui ne peut se retenir plus longtemps de remettre Neumann au banc des accusés.

— Ah non ! pas encore lui !

— Un homme qui vient de vivre une déception sentimentale, qui a été plaqué par une femme, peut faire une chose pareille. Il voit alors les femmes comme des créatures mauvaises et s'attaque à des innocentes. Pour lui, les prostituées deviennent des cibles de choix. Neumann a passé un séjour à l'étranger en compagnie de Madame Darc. Ça n'a peut-être pas été tout à fait la lune de miel à laquelle il s'attendait. C'est l'élément déclencheur typique...

— ... un homme qui a manqué d'affection et de contacts physiques quand il était petit, qui ne sait pas comment agir avec les femmes, qui n'est pas acclimaté au sexe opposé et qui n'a jamais ressenti le plaisir autrement que dans la violence, je connais la rengaine. Mais Jamison n'est pas encore à la chasse au tueur en série dans cette affaire, Simon. Loin de là ! Pour l'instant, c'est du cadavre d'une prostituée battue à mort qu'il est question, et de rien d'autre ! Nous n'avons aucun élément tangible nous permettant d'étayer une telle hypothèse, rugit la policière, coupant Seward en plein élan.

Excédée, elle ferme les yeux un moment.

— Bon, au point où nous en sommes, ça peut valoir le coup d'essayer. Si nous ne trouvons pas d'indices dans les prochaines heures, Jamison risque de nous retirer l'enquête pour la refiler à une autre équipe, ou pire encore, pour l'envoyer dormir jusqu'à nouvel ordre dans le classeur des homicides non résolus, conclut-elle en guise d'approbation en se levant.

Les deux policiers quittent la salle de réunion, leurs dossiers sous le bras. Ils dépassent en coup de vent le bureau de la secrétaire de Jamison. Celle-ci les suit du regard, quand son téléphone sonne.

*
* *

— Bureau de Craig Jamison. Que puis-je pour vous ?

— Bonjour, Madame. Je ne sais pas si c'est à vous que je dois m'adresser, mais j'essaie depuis hier midi de parler à un responsable et ça fait deux fois aujourd'hui qu'on me transfère. On m'a passée à l'escouade canine, mais ils m'ont dit que ce n'était pas à eux de décider. Je voulais parler à un agent concernant la mort d'une pauvre fille, sollicite d'une voix lasse une dame âgée excédée d'être ballottée d'un poste à l'autre.

— Attendez, je reviens dans une minute.

La secrétaire se rend à la salle de réunion, mais celle-ci est vide. Elle vérifie dans le bureau de Jamison à tout hasard, mais toujours personne. Elle réintègre son bureau sans croiser âme qui vive.

— Madame, excusez-moi de vous avoir fait attendre. Tous nos enquêteurs sont actuellement occupés. Puis-je prendre votre message ?

— C'est au sujet de la *Belle au bois dormant*. Suis-je au bon endroit ? s'inquiète la dame.

— Tout à fait, Madame, confirme la secrétaire dont l'intérêt est éveillé, car elle est parfaitement au courant des enquêtes en cours dans son département. Je vous écoute.

— J'ai entendu hier à la télé qu'une jeune fille avait été retrouvée morte au bord du Parc de Shenandoah, dans le coin de Chester Gap. D'après le journaliste, les policiers semblaient vouloir faire appel à l'équipe canine pour fouiller les lieux. Or, mon regretté mari était maître-chien à la police d'État. Et je sais qu'après de gros orages, il est très rare que les chiens trouvent des pistes. Or, celui de mon mari était doté d'un flair sans pareil. Il pistait des fugitifs sous la pluie, là où les autres chiens tournaient en rond.

— Vous avez encore ce chien, Madame ?

— Malheureusement, je ne l'ai plus. Lors d'une foire, il y a deux ans, mon mari et moi avons rencontré un homme qui s'est montré très intéressé par notre chien. Il nous a fait une offre d'achat le jour même et nous a laissé sa carte de visite au cas où l'on changerait d'avis et, comme notre chien semblait l'aimer aussi…, quand mon mari est décédé, je l'ai recontacté et je le lui ai vendu : cet animal me rappelait trop mon époux et je n'étais pas capable de m'en occuper seule. Il avait besoin d'un maître apte à le comprendre... En fait, ce que je voulais vous dire, c'est que mon mari allait régulièrement se balader dans le Parc de Shenandoah avec son chien, car nous avions un petit chalet près de Chester Gap. Le chien adorait débusquer tout ce qui y vivait. Je me disais que cet animal pourrait sûrement vous aider... Je sais, vous devez vous demander pourquoi la police ne l'a pas gardé, s'il était si exceptionnel. C'est qu'en fait, il était très hargneux. Une fois, il a même mordu un autre chien de l'escouade. On a dû l'isoler et, à la fin, il était même devenu agressif avec nous. Certains disaient qu'il aimait tellement flairer la chair humaine qu'il allait finir par en manger. Alors, ils n'en ont pas voulu après la mort de mon mari.

— J'ai pris tout ça en note, Madame. Je vais transmettre votre message à un agent dès que possible. Merci d'avoir appelé le FBI. Oh! Pardonnez-moi. Vous souvenez-vous du nom de son nouveau propriétaire?

— Oui, c'était un homme très gentil. Il adorait les chiens. Il disait en avoir toujours eu depuis sa tendre enfance. Ça lui ferait sûrement grand plaisir d'aider la police. Il s'agit d'un certain Auguste Neumann.

18

8 h 30, à Washington D. C...

Jarvis et Seward filent sur l'autoroute et accèdent enfin au *Washington Metropolitain*. Jarvis conduit pendant que Seward compulse nerveusement les pages qui regroupent les numéros d'immatriculation en les glissant une à une sous la pile après vérification.

— Tu sais, si la fille n'arrive pas à reconnaître le numéro de Neumann, on pourra toujours faire appel à l'hypnose, envisage Seward qui prévoit déjà l'échec de la tentative d'identification.

Le téléphone portable de Jarvis retentit du fond de son sac à main. D'un geste machinal, Seward glisse la main dans la poche de son veston et en retire son portable.

— Tu veux me donner mon sac, s'il te plaît.

— Tout de suite, s'empresse Seward qui ramasse le sac à main et le lui tend.

— Qu'est-ce que tu fais ? Sors mon portable !

— Tu veux que je fouille dans ton sac ? s'étonne Seward, intimidé.

— Tu me le sors où quoi ? Tu ne vois pas que je conduis !

— On ne t'a jamais dit que les hommes avaient l'impression de commettre un acte amoral en mettant la main dans le sac d'une femme. C'est violer un interdit ça, Nicole, confesse Seward en glissant craintivement sa main dans le sac.

— Ça, c'est bien les hommes. Vous êtes capables de déshabiller du regard une inconnue qui se promène paisiblement sur le trottoir, mais vous n'êtes pas foutu de sortir un portable d'un sac à main… Qu'est-ce que tu attends, ça va raccrocher ! Il n'y a pas de piège à souris dedans, tu sais.

Seward sort le téléphone et l'ouvre. Jarvis le lui arrache aussitôt des mains.

— Agent spécial Jarvis, j'écoute.

— Oui… Quoi ? Vous avez bien fait… Où sont-elles exactement ? Oui, je sais où c'est… Nous y allons tout de suite. Merci.

Jarvis raccroche et dépose l'appareil dans son sac.

— Qu'est-ce qui se passe ? demande Seward, inquiet.

— Une autre prostituée aurait disparu cette nuit. D'après ses copines, ce serait l'œuvre du *Tueur de la Belle au bois dormant*.

— Comment peuvent-elles le savoir ? Il a laissé sa carte ou quoi ?

— Non, mieux que ça. Une gamine aurait rêvé à l'enlèvement de la fille. Elles nous attendent au Département de la police métropolitaine de Washington, sur l'avenue Pennsylvanie.

*
* *

Quelques minutes plus tard, dans les bureaux de la police de Washington D. C...

Dans un étroit couloir au sous-sol de l'édifice, les deux jeunes enquêteurs du FBI suivent un officier en uniforme. Ce dernier, d'une quarantaine d'années, a la chevelure prématurément poivre et sel. Chemin faisant, il leur explique la situation.

— Vous allez être les premiers à les interroger. C'est moi qui les ai accueillies en haut. Je les ai invitées à descendre ici, juste après qu'elles m'aient raconté leur histoire, et je vous ai fait tout de suite appeler. Je n'ai pas procédé à leur interrogatoire.

— Vous avez bien fait, on vous remercie, approuve Jarvis avec un large sourire.

— Si vous n'étiez pas arrivés si rapidement, j'aurais probablement monté le dossier moi-même... Vous avez des indices concernant ce dingue ?

— Non, rien pour l'instant..., mais ça ne saurait tarder, se targue Seward en gonflant la poitrine.

— Bouah ! Je vous le souhaite, ricane le policier qui connaît la complexité de ces enquêtes.

Les trois représentants de l'ordre s'arrêtent devant un miroir sans tain qui donne sur une pièce étroite sobrement meublée. On y voit deux femmes et une petite fille assises sur des chaises en bois à une table carrée.

— Nous y sommes. Je vous raconte ce que je sais ou vous préférez vous lancer seuls? demande l'officier en leur tendant un carton sur lequel est épinglée une feuille.

Jarvis et Seward se consultent du regard.

— On vous écoute, répond finalement Seward.

— Bon. La femme à droite, c'est la plaignante, Samantha Milberg. Il s'agit d'une jeune prostituée qui travaillait hier soir avec sa copine, celle qui a disparu, une certaine Judy Lee. L'autre, c'est la mère, Cassandra Tess, une prostituée également. Apparemment, elle a décidé d'abandonner le métier. Elle est accompagnée de sa fille Jackie, qui aurait fait le rêve. Bon, c'est ça en gros. Ah oui! Vous voyez la porte à côté? Elle mène à une salle vide que vous pourrez utiliser si vous souhaitez les interroger séparément. Vous êtes deux, ça tombe bien. Comme il s'agit d'un évènement à caractère sexuel, je vous recommande d'isoler la mère et l'enfant. Bon, je vous laisse. Si vous avez des questions, je serai au bout du couloir. Je vais prendre un café. En voulez-vous un?

— Non merci, pas pour moi, décline Jarvis.

— Pour moi non plus, c'est gentil.

— Bon. À tout à l'heure et bonne chance.

Seward ouvre la porte et laisse passer Jarvis qui pénètre dans la salle.

— Bonjour! Je suis l'agent spécial Jarvis du FBI et voici mon collègue, l'agent spécial Seward. Vous êtes Samantha Milberg? questionne Jarvis en s'asseyant sur la chaise libre à côté de la jeune fille, pendant que Seward s'adosse à la porte, les bras croisés.

— Oui, c'est moi, répond Samantha en s'essuyant les yeux.

— J'aimerais que vous suiviez mon collègue dans la salle à côté. Vous serez plus à l'aise pour discuter.

Samantha obtempère sans rechigner et suit Seward. Ils entrent dans l'autre pièce et s'installent à une petite table, face à face.

— Vous dites que votre amie Judy a disparu hier soir, c'est bien ça? Racontez-moi, interroge Seward sans plus tarder.

— Hier soir, j'ai téléphoné à Judy vers vingt-trois heures trente pour lui demander si elle voulait venir bosser avec moi. Elle m'a répondu non, car elle avait dansé toute la journée et elle était fatiguée. J'ai insisté en lui disant que je devrais travailler seule toute la nuit si elle ne venait pas. Au bout d'un moment, elle a fini par accepter, termine Samantha avant d'éclater en sanglots.

— Ça va aller. Et que s'est-il passé?

— Elle devait me rejoindre. Ça faisait bien dix minutes que je l'attendais quand elle m'a appelée pour me dire qu'elle venait de trouver un client sur la route, qu'elle était dans sa voiture et qu'elle allait me rappeler plus tard. Elle ne l'a jamais fait. On avait convenu qu'on se rejoindrait après ce client. À sept heures du matin, elle n'était toujours pas rentrée. J'ai bien tenté de la joindre à plusieurs reprises sur son portable, mais il n'était plus en service.

— Peut-être qu'elle est partie avec son copain?

— Non, elle n'a pas de copain et elle habite avec moi depuis bientôt quatre ans.

— Est-ce la première fois qu'elle part sans prévenir?

— Non, je l'avoue. Elle est déjà partie trois jours sans avertir personne... Mais c'était avant son accouchement.

— Elle a un enfant? questionne Seward, soudainement plus inquiet.

— Oui. Et il est tout pour elle. Un jour, les Services sociaux ont tenté de lui en retirer la garde à cause de son métier. Elle était effondrée et m'a confié que, si elle perdait son fils, elle se suiciderait. Judy n'est pas sans défauts, mais, je vous le dis, c'est impossible qu'elle soit partie en abandonnant son enfant. Je suis certaine que c'est ce dingue qui l'a ramassée. Allez le demander à la petite Jackie.

Seward commence à craindre le pire.

— Ma collègue s'en occupe. Dites-moi, comment était-elle habillée? Est-ce qu'elle a des signes distinctifs? Un tatouage?

— Elle est très délicate et de santé plutôt fragile. Elle a les cheveux noirs et s'est fait faire des mèches roses dernièrement. Hier, elle portait sa jupe courte à fleurs bleues et un chemisier en satin rouge qu'elle venait tout juste d'acheter. Du moins, c'est ce qu'elle m'a raconté au téléphone. Elle devait sûrement porter son manteau long en imitation de léopard. Elle l'a toujours sur le dos et il n'est plus dans sa penderie. Tenez, j'ai pris cette photo d'elle avec son fils il y a deux semaines, à l'occasion du troisième anniversaire de George. Elle a appelé son gamin comme ça, car elle disait que c'était son petit président et qu'elle donnerait sa vie pour lui, termine Samantha avant de s'effondrer en larmes.

*
* *

Au même moment, dans la salle d'interrogatoire voisine...

Jarvis sourit à l'enfant que sa mère fait sautiller sur ses genoux. Fébrile, elle sort de la salle et se dirige vers la table à café, son portable à la main. Elle passe devant la fenêtre donnant sur la pièce où se trouve Seward, observe la scène un moment et comprend qu'il n'a pas terminé. Elle ébouriffe ses cheveux d'un geste nerveux et consulte sa montre. Puis elle pose sa main sur la poignée, se ressaisit et décide de ne pas interrompre l'interrogatoire en cours. Elle se dirige vers l'officier qui, une fesse appuyée sur la table à café au bout du couloir, est en pleine discussion avec un collègue.

— Nicole! la hèle Seward.

La jeune femme le rejoint.

— Je sais que tu ne vas pas aimer ça, Nicole, mais écoute bien. Les Services sociaux ont déjà tenté de retirer à Judy la garde de son enfant, parce qu'elle était une prostituée. Nicole, Christina n'a pas été violée et elle avait deux enfants. Si elle a demandé pardon pour ses fautes, il ne pouvait pas la tuer lui-même, car il aurait eu mauvaise conscience. S'il la laissait partir sans avoir la certitude qu'elle lui serait loyale, il savait qu'elle pourrait l'identifier. Alors, sans la tuer, il s'est arrangé pour qu'elle meure de peur. Il ne pouvait pas savoir qu'elle ferait une hémorragie interne. Ainsi, il a éliminé celle qui aurait pu le reconnaître tout en ne portant pas la responsabilité de sa mort.

— Oh! Arrête, Simon! Qu'est-ce que tu veux dire? l'interrompt Jarvis qui souhaite endiguer le délire verbal de son collègue, d'autant plus qu'elle-même veut prendre la parole.

— Mais tu ne vois donc pas? Ça crève pourtant les yeux.

Jarvis se croise les bras en affichant son impatience. Seward reprend son souffle.

— D'accord, je crois que c'est bel et bien Neumann qui capture ces filles pour les châtier, Nicole, résume Seward plus calmement, car il sait qu'il a intérêt à rallier Jarvis à sa cause.

— Et qu'est-ce que tu fais d'Ali Morgan? Il l'a laissée en vie.

— Ali Morgan n'a jamais identifié Neumann… je devrais plutôt dire n'a jamais voulu l'identifier. Il n'a tout simplement pas cru au repentir de Christina. Si l'on se fie à l'état dans lequel on a retrouvé son cadavre, il n'a réussi à lui arracher sa confession qu'au bout d'une longue séance de torture.

Jarvis reprend la parole comme si Seward n'avait rien dit.

— La fillette a fait un cauchemar où sa mère se faisait kidnapper par un homme au volant d'une berline noire. Elle a dit textuellement qu'il s'agissait d'une grosse voiture noire… Mais, en fait, la mère a décidé hier soir d'arrêter de travailler dans la rue. C'est pourquoi Judy a dû la remplacer. Mais il y a mieux encore. Elle a raconté que sa mère était couchée nue dans le coffre arrière de la voiture de son ravisseur et que ce dernier roulait à travers la forêt. Il y avait accédé par un chemin indiqué sur une vieille pancarte orange sur laquelle était inscrit le mot *Privé*.

Les deux agents se regardent un instant.

— Nom de Dieu, le Parc de Shenandoah ! Bon sang ! On aurait croisé ce salopard sur la route entre Chester Gap et la capitale hier soir. Il faut vérifier si Neumann ne possède pas de terre dans le coin de Chester Gap, conclut Seward en tâtonnant les poches de son veston. Merde, j'ai oublié mon portable dans ta voiture.

— Tu ne devais pas le vérifier hier ?

Seward la foudroie du regard.

— Oublie ça, je viens de passer un appel au bureau et ils devraient me rappeler d'une minute à l'autre, lance Jarvis avec un sourire moqueur et brandissant son appareil sous le nez de Seward qui reste stoïque. Ne t'énerve pas Simon, je te taquinais un peu. De toute façon, c'est bien beau tout ça, mais c'est surtout le fameux panneau orange qu'il faut retrouver, et ce, peu importe son propriétaire. À la condition qu'il existe, bien sûr, conclut sagement Jarvis qui souhaite calmer son collègue et ramener l'enquête sur des bases plus rationnelles.

La sonnerie du téléphone portable de Jarvis les interrompt.

— Agent spécial Jarvis, j'écoute! Oui, allez-y.
Attendez, je prends un crayon... Allez-y... C'est parfait... C'est noté, merci.

Jarvis raccroche.

— Quoi? Quoi? demande Seward.

— Neumann possède une terre de deux kilomètres
carrés à quelques minutes du Parc de Shenandoah, à
Chester Gap.

— On fonce! s'écrie Seward.

— On fonce! relance Jarvis.

19

10 h 30, aux abords du Parc national de Shenandoah...

Dans le frais matin d'automne, Neumann, vêtu d'un confortable survêtement, court dans la forêt. À chaque expiration, un nuage de vapeur s'échappe de sa bouche. De la sueur commence à perler sur son front, mais il maintient la cadence et zigzague entre les branches feuillues en les esquivant habilement, comme s'il avait fait le trajet des milliers de fois. Il gravit une petite butte, longe un ruisseau et s'enfonce plus profondément dans un monde compact d'arbres. Le calme apaisant des premières minutes de la randonnée fait maintenant place au silence inquiétant de la forêt profonde où le non-initié n'a que peu de chances de retrouver sa route. À travers les pins et les épinettes, son berger allemand, qui raffole de ces randonnées matinales, ouvre fermement la marche. Le cerbère à la gueule béante et au regard vif devance fièrement son maître qui ne le quitte pas des yeux. Soudain, le chien tombe en arrêt. Neumann le rejoint d'un pas pesant et reprend son souffle avant de s'accroupir pour caresser son hargneux compagnon visiblement tout aussi essoufflé que lui.

Neumann scrute les alentours et porte son index sur sa bouche pour indiquer à son acolyte de se tenir tranquille. Le chien s'assoit parmi les brindilles et immobilise tous ses muscles. Seul son regard fidèle reste braqué sur son maître. Neumann se redresse et poursuit sa route, cette fois à pas de loup. Il passe entre deux énormes chênes et avance, tous ses sens aux aguets, en prenant bien garde de ne pas rompre le silence des lieux. Il s'enfonce ainsi dans la forêt jusqu'à perdre de vue son compagnon qui, bien que toujours disposé à en découdre, ne déroge pas de la consigne. Le molosse se contente de humer l'air, les yeux fixés en direction de son maître, prêt à bondir au moindre signe. Neumann arrive au pied d'un monticule de pierres et de terre recouvert d'arbres. La lumière du jour a peine à filtrer jusqu'au sol tant le couvert forestier est dense. Il longe prudemment le massif jusqu'à une minuscule clairière. Il redouble de prudence, dépasse rapidement le terrain dégagé, puis s'arrête devant une ouverture tapissée de quelques branches déposées là pour en cacher l'accès. Il les retire soigneusement, s'insinue de profil dans une fente et s'enfonce à travers la pierre dans un couloir sinueux. Au bout d'une dizaine de pas, il parvient à une porte en bois vermoulu. Il l'ouvre sans hésiter et accède à une cache d'où émane une odeur fétide qui lèverait le cœur au plus coriace des embaumeurs. Neumann poursuit sa route sans sourciller en tâtonnant sur sa droite, dans le noir le plus total. Il met enfin la main sur une lampe de poche qu'il allume aussitôt. Il balaie l'espace du rayon lumineux et accroche involontairement une vieille lanterne suspendue à la voûte. Il s'avance avec précaution dans une caverne aux allures de mine désaffectée et aperçoit le corps nu d'une femme écartelée, pieds et poings liés par des chaînes qui la maintiennent contre le mur de terre et de bois. Son visage est recouvert d'une chevelure en broussaille noire, striée de rose. Il s'approche de la tête pendante de la condamnée et dépose son index sur sa carotide, mais ne sent pas le pouls. Le corps est froid et rigide.

— Quel con! s'écrie-t-il en assénant un coup de poing dans le mur.

Il se retourne vers un établi artisanal crasseux constitué de planches de chênes posées sur quatre billots de pin équarris à la main. Sur cette macabre table reposent des outils tranchants et rouillés, tous plus effrayants les uns que les autres. Ils ont été alignés avec le plus grand soin. Furieux, Neumann passe son avant-bras sur la surface, balayant tout sur son passage. Hache, rasoir, faucille, tenailles et égoïne édentée s'écrasent sur le sol. Il se met à tourner en rond en pestant quand un bruit venant de l'extérieur freine son emportement. Neumann se calme instantanément et inspecte le sol autour de lui. Il aperçoit la hache, s'en saisit et se dirige lentement vers la porte. Il réinsère au passage la lampe dans son fourreau et fonce tête baissée dans l'étroite sortie. Soudain, il s'arrête à quelques pas de l'embouchure; devant lui, un écureuil s'enfuit à sa vue.

Neumann reprend son souffle et retourne à l'intérieur. Au bout d'un moment, il referme la porte derrière lui, replace le camouflage, rejoint son chien et poursuit calmement son jogging à travers bois.

*
* *

Trois coups de klaxon résonnent dans la forêt et le feuillage se met à bouger. Seward émerge enfin du sous-bois, totalement désorienté. Il scrute l'horizon en se guidant sur le tintamarre, quand son regard croise un court chemin de terre. Il suit des yeux le ruban poussiéreux et aperçoit le nez de la décapotable rouge vif de Jarvis. Il s'étire le cou et découvre la propriétaire, debout à côté de la portière, la main gauche sur la hanche et la droite toujours posée sur le klaxon, prête à appuyer de nouveau.

— Hé ! Je suis là, arrête ça ! s'écrie-t-il.

— Qu'est-ce que tu fous, Simon ?

Seward parvient enfin au sentier et rejoint la policière impatiente.

— Il nous faudrait un chien, Nicole.

— Mais on ne peut pas faire venir un chien pour fouiller une forêt comme ça. Je te signale qu'on est sur un terrain privé et qu'on n'a aucun mandat.

— Bon, alors on n'a qu'à faire venir un hélicoptère.

— On ne fera pas venir d'hélicoptère, car on s'en va d'ici, rétorque Jarvis, coupant court aux projets de son fougueux compagnon.

— Comment, on s'en va d'ici ? Il y a une fille quelque
part dans cette forêt, Nicole, et il n'est pas question de la
laisser là, entre les mains de ce cinglé.

— Tu as trouvé quelque chose ?

Seward secoue la tête et détourne le regard.

— Bon, alors là, tu m'écoutes. On a fait dix fois le
tour des routes qui bordent ce lopin de terre et l'on n'a
pas trouvé le moindre accès, hormis ce petit remblai de
rien du tout. J'ai inspecté minutieusement tout le trajet
et je n'ai pas trouvé non plus l'ombre d'un écriteau
orange ni d'une quelconque mention *Privé*. Quand on
y pense un peu, il n'y a rien de plus normal, puisque ce
n'était qu'un rêve. Et même s'il avait été prémonitoire,
c'est sa mère qui s'y faisait kidnapper. Or, cette dernière
est rentrée dans le droit chemin et elle était bien vivante
lors du témoignage de son enfant, raisonne Jarvis avant
de reprendre son souffle. J'ai téléphoné aux agents qui
patrouillent dans ce territoire et ils n'ont signalé aucune
voiture suspecte depuis la venue de Jamison hier, hormis
la nôtre. On ne trouve dans ce bled que des amants de la
nature et il est midi moins le quart. Cela veut dire qu'il y
a presque une heure que tu tournes en rond dans ce bois
et tu n'as toujours pas trouvé l'ombre d'un cadavre, si
ce n'est peut-être celui d'un écureuil. Et pendant que tu
joues au chien policier, notre enquête n'avance pas d'un
poil.

— C'est vrai, Nicole. Mais on est à moins de cinq
kilomètres de l'endroit où l'on a retrouvé le corps de
Christina et je suis sûr que Judy est quelque part par
là. Je sais qu'elle est là ! Et les premières quarante-
huit heures sont cruciales. Je ne sais pas comment te

l'expliquer, mais je sens qu'elle est là et je trouverai cette fille, même si je dois raser cette foutue forêt, arbre par arbre. Et si tu m'aidais au lieu de me dévisager, on aurait peut-être déjà découvert sa cache !

Jarvis le regarde sans mot dire. Seward sent qu'il s'est un peu trop emporté et se tait à son tour.

— Tu es en train de devenir fou, Simon… Arrête… Il y a des centaines de prostituées qui disparaissent chaque année, et elles ne se font pas toutes tuer. Cette fille peut être n'importe où à l'heure qu'il est. Si ça se trouve, elle est peut-être même déjà rentrée chez elle. Il n'y a rien ici.

— Neumann possède cette terre : non ? reprend Seward, la gorge serrée.

— Oui, c'est sûr… Mais cet homme doit posséder des terres à travers tout le pays, Simon, répond Jarvis en haussant les épaules. On perd notre temps ici. Il est presque midi et je commence à avoir faim. On va manger un morceau et, après, on ira montrer les numéros d'immatriculation à Laïla.

— D'accord. On mange un morceau au village. Et après, je m'achète une paire de bottes, tu me ramènes ici et toi, tu iras seule rencontrer Laïla…

— Ça n'a aucun sens ce que tu fais là…

— Quoi ? Non, arrête, Nicole ! Nous n'avons pas la moindre piste ici, tu as raison, mais nous n'avons rien de plus à nous mettre sous la dent. Tu en as convenu toi-même ce matin. La majorité des tueurs en série courent librement pendant des années avant que l'on réussisse à les épingler. Alors, je ne crois pas que cela fasse une grande différence si je fouille encore un peu le coin avant

que Jamison nous retire immanquablement l'enquête…
Non? soutient Seward qui ne veut pas lâcher prise.

— D'accord, on y va comme ça, concède finalement
Jarvis.

— Tu reviendras me prendre vers cinq ou six heures.
J'aurai eu le temps de faire un bon bout.

— Cinq ou six heures, ce n'est pas un peu tard?
Quand on va repasser au bureau, tout le monde sera
parti.

— Ce n'est pas grave. On n'a rien à dire à Jamison
pour l'instant et, de toute façon, s'il t'appelle, tu y
retourneras avant de revenir me chercher. Sinon, on ira
demain matin, planifie Seward, décidé à prendre les
choses en main.

— D'accord, mais fais gaffe. Je te rappelle que tu es
sur un terrain privé, le met en garde Jarvis en le pointant
du doigt.

La jeune femme s'installe au volant pendant que
Seward, un large sourire aux lèvres, contourne le véhicule et s'assoit.

20

13 h 30, au bureau de Jamison...

Jamison se dirige à grands pas vers son bureau en prenant bien soin de ne pas regarder en direction de sa secrétaire. Cette dernière comprend qu'il essaie de l'éviter, mais elle a un message pour lui.

— Monsieur Jamison ! l'interpelle-t-elle au moment où il s'apprête à tourner la poignée, croyant avoir réussi à passer inaperçu.

— Plus tard ! Je suis désolé, mais je n'ai pas le temps. J'ai un truc à prendre et je file, dit-il en s'empressant d'ouvrir la porte de son bureau.

Mais la secrétaire connaît bien son patron. Elle saisit la note qu'elle a mise sous son clavier, s'étire le bras et la lui tend.

— Tenez, Monsieur.

Résigné, Jamison se dirige vers elle en soupirant et prend la note du bout des doigts en maugréant.

— De quoi s'agit-il?

— Il s'agit d'une dame qui dit posséder un excellent chien pisteur qui connaît parfaitement le Parc de Shenandoah. Elle offre de nous le prêter pour nous aider à retrouver Le *Tueur de la Belle au bois dormant,* résume la secrétaire.

Jamison commence à peine à lire la note quand Castelli arrive et lui tape sur l'épaule.

— Vous êtes prêt?

— Oui, on y va!

Il glisse le papier dans sa poche et entre dans son bureau. Castelli l'attend sur le pas de la porte. Jamison réapparaît aussitôt, une nouvelle cravate à la main.

— Elle est parfaite, approuve Castelli.

Jamison referme la porte derrière lui et les deux hommes s'engagent dans le couloir. Soudain, Jamison s'arrête brusquement et revient vers la secrétaire. Il plonge la main dans la poche de son veston et en ressort la note.

— Tenez, refilez-la à l'escouade canine, commande-t-il, sans même avoir pris le temps d'en terminer la lecture.

— Cette femme m'a dit leur en avoir déjà parlé et ils lui auraient répondu que ce n'était pas à eux de déterminer qui pouvait ou non participer aux recherches.

Irrité, Jamison pousse un long soupir.

— Envoyez-la-leur quand même et, s'ils nous la retournent, déposez-la sur la pile de dossiers de Jarvis dans la salle de conférences. C'est elle qui dirige cette enquête. Elle décidera quoi en faire quand elle passera cet après-midi, statue avec impatience le directeur.

— Très bien, Monsieur.

La secrétaire reprend la note, l'insère dans une enveloppe, y griffonne une adresse et la range dans le casier du courrier interne.

21

14 h, au Bureau de la Protection de l'enfance, Washington D. C...

Une femme aux traits tirés, munie d'un formulaire de la cour, marche à grands pas dans un étroit couloir bordé de part et d'autre de nombreuses portes. Derrière, on peut entendre les téléphones sonner à qui mieux mieux. En dépassant une porte ouverte, elle tourne la tête et sourit à une consœur assise à son poste, laquelle lui retourne son sourire tout en décrochant le téléphone insistant, les yeux levés au ciel. La femme se rend jusqu'au bout du couloir et s'arrête devant la dernière porte à droite. Elle s'ouvre sur une pièce qui semble servir temporairement de salle d'attente, le temps qu'un nouvel employé s'y installe et la transforme en un bureau de plus. Deux enfants en bas âge, soigneusement vêtus, y sont sagement assis.

— Ça ne sera plus très long, les rassure la femme en leur souriant gentiment avant de se diriger vers la porte vitrée située en vis-à-vis.

Un homme est assis dos à la porte, devant une table. Elle prend une grande inspiration, tourne la poignée et pénètre d'un pas ferme dans la pièce. Elle referme aussitôt la porte derrière elle.

— Excusez-moi de vous avoir fait attendre.

La femme s'assoit en face de son invité, lui présente le formulaire et lui tend un stylo.

— Voilà ! Vous n'avez qu'à signer ici. Vous me sauvez la vie. Hier soir, ces pauvres chéris ont dormi chez une voisine. Depuis qu'on me les a confiés, j'ai beau chercher, je n'arrive pas à leur trouver un foyer d'accueil pour cette nuit. J'ai des tas de choses à faire. J'avoue que, sans vous, je ne sais pas ce que j'aurais pu faire d'eux le temps qu'on retrouve un membre de leur famille. Vous me tirez vraiment une épine du pied.

L'homme fait pivoter sa chaise et examine les enfants toujours assis dans la pièce d'en face. Avec un grand sourire, il esquisse un clin d'œil à la fillette âgée de six ans qui baisse le regard et serre la main de son petit frère d'un an son cadet.

— De bien beaux enfants que nous avons là. Leur mère doit être très belle ?

— S'il vous plaît, Monsieur Neumann, si vous vou- lez bien vous donner la peine de signer, je répondrai à toutes vos questions, s'impatiente la travailleuse sociale, le bras toujours tendu vers lui.

Neumann se retourne. – Pardon ! – Il saisit le stylo et appose sans plus tarder sa signature au bas du formulaire.

Soulagée, la fonctionnaire se montre disposée à engager le dialogue.

— Leur mère était très belle. Soit dit en passant, elle ne les a pas abandonnés. Elle a été assassinée. Enfin… Ces histoires-là sont toujours un peu délicates à raconter. Mais, comme c'est vous… La fillette conserve une photo d'elle dans la poche de son cardigan. Je suis certaine qu'elle se fera un plaisir de vous la montrer. Sachez que nous apprécions vraiment pouvoir compter sur la maison Perkins. On ne vous remerciera jamais assez pour tout ce que vous faites pour nous, et pour eux, il va sans dire.

— Ce n'est rien, répond Neumann en remettant le stylo à son interlocutrice.

— Nous allons faire tout ce qui est en notre pouvoir pour que vous n'ayez pas à les garder trop longtemps, assure la responsable du replacement, craignant d'abuser de la générosité de son hôte.

— Prenez tout votre temps, Madame, il n'y a aucun problème.

— Vous les conduisez à l'orphelinat, c'est bien ça? s'informe-t-elle, soucieuse de l'endroit où seront hébergés ses protégés.

— Oui, mais ils ne feront que passer. Madame Darc et moi-même allons les amener faire un tour dans la nature ce week-end, en compagnie d'autres petits pensionnaires. Respirer l'air frais leur fera le plus grand bien.

— Bon, tout est parfait, conclut la femme qui vérifie soigneusement la signature et les renseignements inscrits sur le document.

La travailleuse sociale détache les copies du formulaire, en remet une à Neumann et dépose les autres sur la table. Elle se lève et lui tend la main. Ce dernier se lève à son tour et scelle l'accord par une poignée de main.

— J'ai toutes les coordonnées de l'orphelinat et celles de Madame Darc. Je communiquerai avec vous dès qu'il y aura du nouveau. N'hésitez pas à nous téléphoner si vous avez besoin de quoi que ce soit. Mais il est inutile de vous le dire, vous savez très bien comment cela fonctionne, ajoute-t-elle le sourire aux lèvres, en se dirigeant vers la porte.

Neumann la laisse passer devant lui et tous deux entrent dans la pièce où se trouvent les deux enfants.

— Monsieur Neumann, je vous présente Mademoiselle Lucretia Johnson et Monsieur Benjamin Johnson.

22

18 h 30, aux abords de Chester Gap, sur la terre d'Auguste Neumann...

Ganté de plastique, bottes aux pieds et muni d'un bâton et d'un sac-poubelle, Seward marche à travers bois à la recherche d'indices. Soudain, il aperçoit quelque chose briller au sol. Il s'en approche, se penche et époussette l'objet. On dirait un morceau de verre. Il nettoie tout autour et dégage une vieille bouteille d'alcool dont l'étiquette est totalement arrachée. Il n'en subsiste que des résidus de colle. Un peu de liquide brunâtre est resté prisonnier à l'intérieur de la bouteille scellée par le bouchon d'origine. Le policier prend soin de le resserrer pour éviter que le liquide ne s'échappe et insère la bouteille dans son sac. Il poursuit son investigation. À quelques pas de là, il remarque ce qui lui semble être un morceau de nylon qui émerge du sol.

Il se met à creuser délicatement à l'aide de ses deux mains. Il tire légèrement le tissu, puis arrête avant qu'il ne cède sous la tension. Il creuse plus profondément, tire encore un peu plus, lorsque...

Des coups de klaxon le font sursauter. Il bascule vers l'arrière en tenant toujours le morceau de nylon qui s'étire et lui tient lieu d'ancrage, bien malgré lui. Sous son poids, le tissu sort brusquement de terre et il chute sur les fesses. Il se relève d'un bond, tenant dans ses mains une paire de bas nylon déchirée sur tout son long. Il la secoue, faisant ainsi tomber une partie de la terre qui y était accrochée. Il la plie en deux puis en quatre.

Jarvis, qui a garé sa voiture sur le bord de la route, là où elle a laissé Seward plus tôt, sort de la voiture en claquant la portière. Elle s'étire le cou et jette un rapide coup d'œil vers la forêt. Déçue, elle appuie de nouveau sur le klaxon.

— Ouais ! J'arrive... s'écrie Seward, bien qu'il soit conscient qu'à la distance où il se trouve, son impatiente amie ne peut l'entendre.

Dans un ultime effort, il parvient enfin à se sortir des hautes herbes et pose le pied sur la voie en gravier.

— Ça va, arrête !

— Tu as vu l'heure ! Je suis fatiguée et j'ai hâte d'être chez moi.

— Tu crois que je ne suis pas fatigué, moi ? ... De toute façon, il faut passer au bureau. Tu connais l'adage : *Après la pluie le beau temps*. Ce qui veut dire que le ciel restera dégagé et qu'on pourrait profiter de la pleine lune.

— Il n'est pas question de passer au bureau à l'heure qu'il est. Oublie ça. Demain, ça fera pareil et la pleine lune, c'est demain soir, pas cette nuit... As-tu trouvé quelque chose ?

— Oui, des tas de choses, répond vaguement Seward en déposant son sac sur le capot encore chaud de la voiture.

— Qu'est-ce que c'est ?

Seward ouvre son sac et en sort une page de revue pornographique qu'il déploie devant Jarvis.

— Je t'en prie, épargne-moi ça ! Il n'y a aucun doute sur le fait qu'il s'agisse d'une fille d'après ses atouts.

— Tu es très drôle, s'offusque Seward en repliant l'image.

— Ne me dis pas que tu n'avais pas remarqué ?

— D'après sa coiffure et son abondant maquillage, je dirais que la photo provient d'une revue vieille de vingt ou vingt-cinq ans. Soit il s'agit d'une pièce de collection égarée récemment, soit elle est là depuis longtemps. D'après son état, je penche pour la première hypothèse. On y trouvera peut-être les empreintes du tueur, fait valoir Seward.

— Ou l'ADN d'un ado qui a déchiré une page de l'album de son grand-père pour s'en branler une. Où l'as-tu trouvée ? Pas au bord de la route, j'espère ?

— Oui, un peu plus haut par là.

Jarvis lève les yeux au ciel.

— Pfff !

— Attends, ce n'est pas tout. J'ai trouvé une bouteille d'alcool et une vieille paire de bas nylon, s'empresse de révéler Seward qui exhibe les deux objets pour tenter d'impressionner son incrédule partenaire.

Jarvis ramasse la bouteille à mains nues et examine son contenu.

— Hé! Les empreintes! s'écrie Seward.

Jarvis dévisse le bouchon, renifle le liquide et le verse sur le sol.

— Merde! Qu'est-ce que tu fais, Nicole?

— C'est tout ce que tu as trouvé? questionne calmement la policière en lui tendant dédaigneusement le contenant vide.

— Oui, c'est tout, répond amèrement Seward.

— Une vieille bouteille de l'époque des hippies, enterrée par le temps, et une paire de collants datant des mêmes années. Ça, c'est ce que j'appelle des preuves accablantes!

— Et toi, tu as eu quelque chose? s'informe Seward en rangeant dans son sac ses précieuses pièces à conviction pour les soustraire à son irascible collègue.

— Non, rien du tout. J'ai pu parler avec un des policiers de Washington qui ont patrouillé dans le secteur où Christina a été vue vivante pour la dernière fois. J'ai dû me rendre chez lui. Le pauvre était plongé dans un profond sommeil quand j'ai sonné à sa porte. Bien que je l'aie réveillé, il a été très courtois, mais il n'avait rien à signaler. Il m'a promis d'en glisser un mot à ses copains enquêteurs qui ont souvent maille à partir avec les prostituées du coin, voir s'ils n'auraient rien à raconter qui pourrait nous aider. Quant à Laïla, elle n'a pas été capable d'identifier la plaque d'immatriculation de Neumann, pas plus qu'aucune autre d'ailleurs.

Comme elle nous l'avait déjà dit, elle n'en connaissait pas le numéro, car elle n'a tout simplement pas vu la plaque, résume Jarvis en s'installant au volant de sa voiture.

— On peut toujours envisager l'hypnose, s'entête Seward en retirant ses gants avant de s'asseoir à côté de Jarvis avec tout son fourbi.

— Laïla n'a pas oublié, elle n'a jamais vu, conclut Jarvis en faisant demi-tour dans un nuage de poussière.

23

19 h, à l'école de ballet du centre communautaire de Baltimore...

— Merci, Mademoiselle Hull, conclut Madame Bishop, directrice de l'école de ballet. Si vous le voulez bien, nous allons maintenant visiter l'autre classe, Monsieur Neumann.

Âgée d'une cinquantaine d'années, la directrice ne mesure pas plus d'un mètre quarante et arbore un chignon serré. D'un pas énergique, elle précède son visiteur dans le couloir.

— Je ne vous remercierai jamais assez pour votre contribution. Vous nous sauvez la vie. Ces petits en ont tellement besoin, vous savez. Voilà, c'est ici.

Madame Bishop ouvre une porte et entre dans un petit local au fond duquel on a empilé une série de pupitres afin de libérer le plus d'espace possible

225

pour les enfants. À leur arrivée, l'enseignante se retourne.

— Bonsoir, Madame Bishop.

— Bonsoir, Mademoiselle. Je peux dire un mot aux enfants?

— Bien sûr, allez-y.

La jeune femme cède la place à la directrice.

— Les enfants, je vous arrête deux minutes, juste le temps de vous dire que, si notre modeste école peut poursuivre sa mission, c'est grâce à de généreux donateurs tels que Monsieur Neumann que voici. On peut l'applaudir, encourage Madame Bishop qui sait à quel point les mécènes sont difficiles à dénicher et précieux pour la promotion des arts.

Les enfants applaudissent en riant.

— Non, ce n'est rien, merci. Continuez vos exercices, répond Neumann pendant qu'une toute petite fille vient se jeter dans ses jambes.

La gamine d'à peine quatre ans l'agrippe par la cuisse. Neumann sursaute, bien malgré lui. Mais l'enfant, emportée par son élan, maintient son étreinte. L'enseignante la soulève et la serre dans ses bras. Neumann grimace en se frottant la cuisse. Madame Bishop accourt à son tour.

— Vous n'avez rien, j'espère? Je suis désolée.

— Non, ce n'est rien, une légère blessure que je me suis faite dernièrement, la rassure Neumann. Tu es une bien belle petite fille, toi, ajoute-t-il en souriant pour détourner l'attention.

— C'est une vraie boule d'affection. Elle est la benjamine de l'école et, dès qu'elle voit une jambe se promener, vous pouvez être certain qu'elle viendra s'y blottir. Vous n'avez plus qu'à ouvrir les bras et, hop ! elle grimpe aussitôt s'y réfugier. C'est une petite merveille, raconte l'enseignante, les yeux brillants.

— Excusez-moi, je n'ai pas fait les présentations... Monsieur Neumann, Mademoiselle Louis, se rattrape Madame Bishop, embarrassée.

— Appelez-moi Laurence.

La jeune femme au corps filiforme moulé dans un maillot noir s'avance vers Neumann et lui serre la main. Puis elle se retourne vers la classe et dépose la fillette.

— D'accord, les enfants. Maintenant, on imite l'arbre qui se balance dans le vent.

Laurence se dirige au centre des élèves, pour la plupart des filles âgées de quatre à six ans, vêtues de tutus roses. Les aspirantes ballerines contemplent leur professeur avec admiration et forment un cercle autour d'elle. Laurence arrondit les bras au-dessus de sa tête, le dos bien droit. Solidement ancrée sur la jambe gauche, elle replie la droite dont le pied vient s'appuyer à l'intérieur de sa cuisse gauche. Dans cette position, elle se met à mimer le mouvement des arbres sous la tourmente tout en reproduisant le sifflement du vent. Les enfants s'empressent de l'imiter et éclatent de rire, tant et si bien qu'ils basculent les uns sur les autres. Consciencieusement, ils reprennent la pause, toujours dans une folle gaieté. Neumann et Madame Bishop admirent la scène.

— Ils sont magnifiques, non ? s'exclame la directrice avec la même ferveur qu'à ses débuts. Bon, je crois que j'ai fait le tour.

À cet instant, la porte s'ouvre devant un homme d'une trentaine d'années, au corps élancé. Il pénètre dans la pièce en coup de vent et dépose son sac à dos sur le sol.

— Je suis désolé, Madame Bishop, j'ai fini plus tard que prévu, s'excuse-t-il, sans tenir compte de la présence de son invité.

— Mon Dieu! J'allais oublier mon dévoué professeur de danse. Je ne sais vraiment pas où j'ai la tête ce soir! Monsieur Neumann, je vous présente Monsieur Warren Madden.

Neumann s'avance et serre la main de l'homme.

— C'est vous qui dirigez ces petits? Cela doit être très agréable, insinue-t-il avec un sourire équivoque.

Madden reste interdit. Madame Bishop, qui a entendu la question, répond à sa place.

— Oh! mais cela n'est pas qu'agréable, c'est une véritable passion pour Warren, comme pour nous tous d'ailleurs. Ils sont tellement mignons.

— Votre école a-t-elle déjà produit des spectacles? questionne Neumann.

— Bien sûr, nous donnons une représentation à chaque fin d'année scolaire, se flatte Madame Bishop qui ne ménage jamais ses efforts quand il s'agit de valoriser ses élèves.

— Ça doit être adorable de voir évoluer vos protégés sur scène.

— J'ai un ou deux albums dans mon bureau, mais si vous voulez en voir davantage… , offre Madame Bishop en se dirigeant vers la porte.

Neumann décoche un clin d'œil à Madden avant d'emboîter le pas à la directrice.

— J'ai une collection de vidéocassettes de tous les spectacles depuis mes débuts comme enseignant, l'interrompt Madden.

Madame Bishop s'arrête brusquement et se retourne vers lui.

— Mais c'est très généreux de votre part, Warren. Je n'osais pas le mentionner pour ne pas vous embarrasser, s'exclame Madame Bishop, émerveillée du dévouement de son talentueux professeur. Vous savez, Monsieur Neumann, Warren pourrait vous les amener un soir si vous le désirez. Nous pourrions ainsi en profiter pour offrir aux parents une soirée en votre honneur et nous visionnerions le matériel de Warren tous ensemble. Les enfants adorent ce genre d'activité. Ils font beaucoup d'efforts et cela leur ferait le plus grand bien de se divertir. On pourrait même préparer un buffet et les parents y trouveraient leur compte. Pensez donc, un souper de moins à cuisiner, c'est toujours apprécié des mères qui travaillent toute la journée ! Mais si vous ne pouvez pas vous libérer, je comprendrais et nous pourrions vous acheminer des copies de ces films, ainsi que des albums, propose obligeamment la directrice.

Neumann esquisse un sourire à Madden avant de se tourner vers la directrice.

— C'est très gentil à vous, mais j'ai un horaire chargé et je ne veux pas abuser de votre temps ni de votre générosité. Je me contenterai de jeter un coup d'œil aux albums que vous détenez dans votre bureau... si votre offre tient toujours bien sûr.

— Oh ! mais vous n'avez qu'à me suivre, répond la directrice avec empressement.

Cette dernière ouvre la porte et se retourne vers les petits écoliers.

— Saluez Monsieur Neumann, les enfants !

De toutes parts fusent des au revoir chantés par des petites voix cristallines et enjouées. Neumann leur répond par une longue révérence. Les éclats de rire des enfants les accompagnent jusqu'à leur sortie. Neumann ferme la porte et se dirige vers le bureau de la directrice en sa compagnie.

— J'ai des photos ravissantes, vous allez adorer.

— Monsieur Neumann, excusez-moi ! s'écrie Madden qui les rejoint en courant. Permettez-moi d'insister. Tenez ! Voici mon adresse, mon numéro de téléphone et mon courriel, débite-t-il hors d'haleine en attrapant la main de Neumann pour y déposer un petit billet plié en deux.

Neumann referme sa main autour du message en fixant Madden sans mot dire.

— Si vous voulez des photos ou un film d'un des spectacles, je me ferai un plaisir de vous les procurer, suggère ce dernier.

La directrice, qui n'est pas avare d'affection pour les membres de sa petite troupe, s'approche de Madden et prend son visage entre ses mains.

— C'est très chevaleresque de votre part, Warren, lui dit-elle en le regardant avec fierté.

Neumann en profite pour entrouvrir le papier juste assez pour pouvoir lire quelques lignes : *Je serai chez moi à partir de 23 h. Je vous y attends.*

Mon adresse… Il le replie vivement et le glisse dans sa poche.

— J'apprécie beaucoup, merci, ajoute Neumann à l'intention de Madden qui réintègre sa classe.

24

22 h 50, au centre-ville de Washington D. C...

Une femme dans la jeune vingtaine aux cheveux noirs coiffés à la Cléopâtre marche seule sur le trottoir. Elle est vêtue d'un chemisier blanc volontairement choisi d'une taille inférieure à la sienne. Déboutonné jusqu'à la naissance des seins, elle l'a noué sous le buste, mettant ainsi en valeur sa généreuse poitrine. Sa jupe plissée aux motifs à carreaux, de style collégien, s'arrête à la mi-cuisse. Une paire de bottes noires à talons aiguilles complète sa tenue. Elle prend un malin plaisir à les faire résonner sur le trottoir.

Elle fait les cent pas depuis un bon moment déjà devant un immeuble désaffecté dont les fenêtres sont obstruées par des planches de bois noircies par le temps. Chaque fois qu'elle atteint un bout du bâtiment, elle revient inlassablement sur ses pas jusqu'à son autre extrémité. L'absence de commerces dans cette rue sise entre les quartiers résidentiels et d'affaires témoigne du métier qu'elle exerce. Parvenue à l'angle de l'édifice, elle se retourne de nouveau et son regard s'attarde un moment sur un couple d'adolescents qui traverse la rue au loin. Puis elle reprend son itinéraire sans but en admirant ses bottes à chaque foulée. Elle s'arrête, lève la tête et constate qu'elle est maintenant seule. Le couple, qui était encore à portée de vue il y a quelques minutes, s'est volatilisé et l'horizon est désert.

Elle sort un téléphone portable de son sac à main et compose un numéro quand elle aperçoit des phares surgir au loin. Ceux-ci s'approchent de plus en plus. Elle referme son portable et attend la suite. Les phares ne sont plus qu'à quelques mètres. Le véhicule, d'un bleu nuit rutilant, ralentit et s'immobilise à sa hauteur. Elle se penche vers la fenêtre baissée de la Crown Victoria et tente d'accrocher le regard du chauffeur. Ce dernier sort de la voiture, la contourne par l'arrière, observe les alentours et s'arrête près d'elle. L'inconnu d'une quarantaine d'années est mince et ses épais cheveux noirs, coupés court, sont coiffés sur le côté. Il est vêtu d'un complet parfaitement cintré qui ouvre sur une chemise d'un blanc étincelant décorée d'une cravate de soie anthracite. Elle est subjuguée par ses yeux bleu acier, son charisme et son assurance. D'un geste étudié, il sort un insigne de son veston et l'exhibe.

— Police ! Veuillez mettre les mains sur la voiture, s'il vous plaît, Mademoiselle.

— Mais qu'est-ce que j'ai fait ? questionne timidement celle-ci en s'exécutant.

— C'est très bien, lui dit-il en se plaçant derrière elle.

L'homme fait glisser ses mains de chaque côté de son corps, des aisselles jusqu'aux cuisses. Puis il scrute de nouveau les parages.

— Que faites-vous ici à une heure aussi tardive ?

— Je me promène, Monsieur l'Agent, répond la jeune fille, les mains toujours sur le toit du véhicule.

— Vous vous promenez toute seule dans ce quartier et dans cette tenue ? Vous pouvez vous retourner.

— Je ne suis pas seule. J'ai une copine avec moi.

— Nous ne voyons personne. Asseyez-vous et montrez-nous vos papiers, ordonne-t-il en ouvrant la portière arrière de sa voiture.

Elle s'apprête à monter dans le véhicule, quand un cri l'arrête.

— Hé ! hurle une femme qui sort de l'arrière de l'immeuble désaffecté.

— Carla ! s'écrie la jeune fille qui fond en larmes en entendant la voix connue.

— Qu'est-ce qui se passe ? demande Carla, furieuse, en s'approchant à grands pas.

— Cet officier veut vérifier mes papiers, car il ne croyait pas que je me promenais avec toi ici.

— Quoi ! Vous avez un mandat ? Vous n'avez rien contre elle, Monsieur l'Agent, alors laissez-la partir ! s'énerve Carla qui dépasse la trentaine et qui compte plus de quinze années de métier. Laissez-la partir ! Ça ne se passera pas comme ça ! Je connais mes droits ! Je veux votre numéro matricule ! Elle n'a rien fait ! Vous n'avez rien contre elle !

— Ça va, ça va ! Calmez-vous. C'est d'accord, rentrez chez vous maintenant, réplique l'homme en refermant la portière de la voiture. C'est bon, j'ai fait une erreur. Bonne soirée les filles. Mais ne traînez plus dans le coin, ajoute-t-il en s'installant derrière le volant.

— Vous n'avez pas le droit ! Vous n'avez pas le droit de nous importuner comme ça ! poursuit Carla alors que la voiture a déjà repris la route. Viens, ma belle. C'est fini, dit-elle à sa jeune amie en lui ouvrant les bras.

Cette dernière, en pleurs, se blottit contre elle.

25

23 h, dans la résidence de Warren Madden, en banlieue de Baltimore...

Madden est terriblement anxieux. Il arpente le salon en fourrageant d'une main nerveuse dans sa chevelure, se verse un quatrième verre de scotch, puis regarde pour la centième fois l'horloge ancienne qui orne le mur. Il se rend à la fenêtre principale du salon, entrebâille le rideau et scrute la rue. Toujours rien. Il ingurgite l'alcool, dépose son verre vide sur le buffet et dévale l'escalier qui mène à la cave. Il traverse le salon du sous-sol et ouvre la porte d'un placard aux étagères jonchées de boîtes de toutes formes. Il plonge la main dans l'une d'elles, ramasse trois albums et remonte au salon du rez-de-chaussée. Il lance les albums qui tombent pêle-mêle sur la table basse placée au centre de la pièce. Il se dirige vers le buffet, s'empare de la bouteille de scotch et la vide dans son verre, le remplissant à ras bord. Il l'engloutit, se retourne vers la porte d'entrée et constate que la lampe extérieure est éteinte. Il dépose son verre et accourt l'allumer. Une lueur filtre à travers la porte vitrée. Il se précipite de nouveau au sous-sol jusqu'à une chambre froide. Une quinzaine de bouteilles d'alcool de toutes sortes y sont rangées sur une petite étagère en fer forgé. Il s'empare de la dernière bouteille de scotch Cragganmore quand il entend un bruit sourd au-dessus de sa tête. Il grimpe les marches deux à deux et jette un coup d'œil dans le salon : personne. Il note qu'un des albums est tombé de la table basse quand, soudain, la sonnette retentit. Une silhouette se dessine à travers la porte. Il sursaute et court ouvrir.

— Entrez, Monsieur Neumann, faites comme chez vous.

— Merci.

— Vous n'avez pas eu trop de mal à trouver ?

— Non, pas du tout.

— Je n'ai pas vu les phares de votre voiture, remarque Madden, intrigué.

— C'est mignon chez vous, répond Neumann en éludant le commentaire.

— Merci. Si vous voulez bien me suivre au salon... Asseyez-vous. Je vous sers quelque chose à boire ? demande Madden qui commence à ressentir les effets de ses derniers verres.

— Oui, merci. Qu'est-ce que vous buviez avant mon arrivée ?

— Du scotch.

— Allons-y pour le scotch, ce sera parfait, approuve Neumann avec un large sourire, en s'installant confortablement dans un fauteuil en cuir.

Madden choisit un verre étincelant dans le buffet et fait le service. Il ramasse les deux verres, rejoint Neumann et lui en tend un.

— Je vous préviens, il risque de ne pas avoir la finesse à laquelle vous devez être habitué, Monsieur Neumann.

— Appelez-moi Auguste.

— D'accord, Auguste.

— Vous savez, tous les goûts sont dans la nature, ajoute Neumann en levant le bras pour porter un toast.

— À la vôtre, répond Madden.

— À la tienne, reprend Neumann en savourant le spiritueux pendant que Madden ingurgite la totalité de son verre. Il n'est pas vilain du tout.

— Je vais m'en servir un autre, s'enthousiasme Madden dont la voix monte d'un ton.

Il retourne au buffet, ramasse la bouteille et vient s'asseoir sur le sofa de cuir noir placé à angle droit avec le fauteuil de Neumann. Il remplit son verre de nouveau et dépose la bouteille sur la table basse. Il avale une gorgée, s'allonge, pose son verre sur le sol et passe fébrilement la main sur son front. Neumann s'avance sur le bout de son fauteuil et pointe du doigt les albums.

— Ce sont les albums ?

Madden fait signe que oui et vide son verre. Neumann se penche pour saisir celui qui gît au sol, entre le fauteuil et le sofa. Il tend le bras, attrape l'album et commence à se redresser quand Madden lui agrippe le poignet et s'approche à quelques centimètres de son visage.

— Vous n'êtes pas venu pour voir ces photos, n'est-ce pas ? insinue-t-il la bouche pâteuse, avec la respiration oppressée de quelqu'un qui n'en peut plus d'attendre.

Neumann braque son regard dans le sien. Madden le fixe intensément à son tour, les pupilles dilatées et le cœur qui s'emballe.

— Elles doivent être magnifiques, réplique Neumann d'une voix suave, sachant maintenant qu'il ne s'est pas trompé.

Madden ferme les paupières et serre fortement le poignet de Neumann. Il a peine à contenir son excitation. Il regarde de nouveau Neumann, les yeux humides.

— Vous n'avez pas idée… Vous n'avez pas idée… Elles sont si belles !

— Racontez-moi.

Madden ferme les yeux en frémissant de joie.

— J'ai attendu si longtemps… Quand je t'ai vu, j'ai tout de suite compris que, toi et moi, on était fait pour s'entendre.

Madden lâche le bras de Neumann, se verse une nouvelle rasade et se rallonge.

— À nous deux ! s'écrie-t-il avant de vider son verre.

Neumann s'enfonce dans son fauteuil en levant son verre à la santé de son hôte. Il avale une longue lampée.

— Tu vas tout me raconter, Warren.

— Ah! putain! Ça oui, que je vais tout te raconter! Et dans les moindres détails. Je n'en peux plus de garder tout ça pour moi… De ne pouvoir en parler à personne… Oh! mais toi aussi, tu dois avoir envie de me raconter.

— Oui, mais j'adore écouter, le rassure Neumann en lui souriant.

— Oui! je comprends ça, accepte avec délectation Madden, toujours allongé sur le sofa. Putain, on est vraiment sur la même longueur d'onde! Qu'est-ce qu'on va s'amuser, toi et moi! Qu'est-ce qu'on va s'amuser! Ah! les petites salopes qu'on va se faire! Ah! les salopes qu'on va se faire!

Transporté par une vive émotion dépressive amplifiée par l'alcool, il donne un coup de pied sur l'album devant lui et tombe à genoux aux pieds de Neumann.

— Je t'attends depuis si longtemps, gémit-il au bord des larmes avant de saisir une nouvelle fois la bouteille.

Il en arrache le bouchon qu'il lance sur le sofa derrière lui.

— Tiens. Tiens, marmonne-t-il en attrapant la main de Neumann qui tient le verre. Il le remplit si géné-reusement qu'il en répand.

— Oh! oh! oh! s'écrie Neumann en retirant son verre.

— Il n'y a rien de trop beau pour toi, mon ami! proclame Madden en relevant la bouteille. À nous deux!

Il boit une énorme gorgée à même la bouteille, claque la langue, se redresse et se balance sur ses deux pieds, euphorique.

— Suis-moi, suis-moi ! insiste-t-il en saisissant Neumann par le bras.

Neumann se lève. Madden lui lâche la main et le précède vers l'escalier qui mène à la cave. Neumann le suit en sirotant lentement son scotch.

— C'est très bien ici. Tu vis seul ?

— Hein… ? Oui, oui… Allez, amène-toi ! Amène-toi ! s'impatiente Madden qui descend les marches en titubant.

Les deux hommes parviennent enfin au salon du sous-sol. Madden fait signe à Neumann de s'asseoir dans le grand sofa au centre de la pièce. Il se dirige vers le placard, se met à quatre pattes, dépose la bouteille et farfouille dans les boîtes.

— Fais comme chez toi. Si tu veux quelque chose, tu n'as qu'à te servir. Oh ! bon sang ! Je n'arrive pas à y croire, tu ne dois pas être vrai ! Tu ne dois pas être vrai !

— Tu as un site Internet, Warren ?

— Non… pourquoi ?

— On pourrait communiquer de cette façon.

Madden éclate de rire.

— Ouais, ouais, c'est ça !… Jamais ! Je garde tout mon matériel à l'abri. D'ailleurs, tu n'as pas idée de tout ce qu'on peut faire dans une simple cave comme ici… Oh non ! tu n'as pas idée ! répète-t-il en pouffant de rire. Je ne vais sur Internet que quand je manque d'inspiration artistique, question de voir ce que font les autres, bredouille Madden qui se remet à fouiller dans le placard. J'ai trouvé un site drôlement prometteur l'autre jour, mais je n'ai pas encore réussi à obtenir la ligne.

Cette connerie est toujours en dérangement. Voilà, je les ai ! Prépare-toi à admirer les plus belles petites salopes que la terre n'ait jamais portées !

Madden ramasse sa bouteille et se redresse en soulevant fièrement une pile de photos. Il prend une gorgée et la dépose sur la table en bois devant son hôte.

— Je te présente ma première petite ballerine. Elle n'avait que cinq ans.

Il embrasse la photo avant de la tendre à Neumann. La fillette, entièrement nue, est à quatre pattes sur la table même qui se trouve devant lui. Madden se tient derrière elle, le sexe en érection à quelques centimètres de ses fesses minuscules. Neumann reste sans voix. Madden s'assoit à côté de lui et se met à trier consciencieusement ses photos qu'il dépose au fur et à mesure à ses côtés, sur le sofa.

— As-tu déjà vu quelque chose d'aussi beau ? s'extasie le pédophile avec nostalgie, une larme au coin de l'œil. Elle est belle... Non ! Non, ce n'est pas ça ! Ce n'est pas ça ! C'est plus que ça ! Cette petite pute avait une peau de pêche. Elle était douce, je ne te dis pas. C'était magnifique ! Je l'adore celle-là ! Je l'ai toujours aimée et je l'aime encore, s'énerve Madden en arrachant la photo des mains de Neumann. C'est un véritable ange... J'ai dû travailler pendant huit mois avant de réussir à l'amener ici. Tu comprends ce que ça veut dire... Je te bouffe ta chose, ma belle. Ah oui ! que je te la bouffe ! lance-t-il en embrassant de nouveau le cliché. Attends ! je vais te faire voir quelque chose.

Madden frappe une pile de photos contre la table pour les aligner, tel un croupier. Puis il prend le paquet dans sa main gauche et le brandit sous les yeux de Neumann.

— Regarde ça ! Tu vas adorer.

De sa main droite, il déploie le paquet en cascade parfaitement minutée, faisant défiler une à une les photos sous les yeux stupéfaits de Neumann. On peut voir la fillette monter sur la table tout habillée, puis se faire dévêtir et se faire violer à plusieurs reprises. Madden éclate de rire en visionnant ce film improvisé.

— Ça m'a pris des heures pour réaliser ça... Elle n'arrêtait pas de gigoter, raconte Madden en balançant le paquet par terre.

De son avant-bras, il balaie les photos restées sur le sofa qui vont rejoindre celles déjà au sol. Neumann y jette alors un coup d'œil. Elles sont toutes plus sordides les unes que les autres. Madden détache son pantalon, se penche et ramasse la première photo qu'il a présentée à Neumann.

— Toi et moi, on va s'en faire des tas, tu vas voir. Ah oui ! qu'on va s'en faire ! promet-il, les yeux rivés sur l'image de la fillette en glissant sa main dans son pantalon. Huit mois pour la faire venir ici. Enfin, un bon soir, sa connasse de mère n'a pas pu ramener sa sale gueule à temps. Alors, j'ai demandé à cette gourde de Bishop si elle voulait que je raccompagne l'enfant. Ah, ah, ah ! C'est dur d'être plus bête que cette pauvre Bishop. Qu'est-ce qu'elle est tarte ! Tu as vu son air béat quand elle m'a pris le visage entre ses mains. Pendant un moment, j'ai eu peur qu'elle m'embrasse, cette vieille idiote! s'étouffe Madden qui se frotte le sexe en riant à gorge déployée. Alors, j'ai ramené cette mignonne petite poupée... Je n'ai jamais déplacé aucun meuble depuis. Tout est comme le jour où je me la suis baisée. Quel pied je me suis pris! Je l'ai tripotée pendant des heures avant de la retourner chez elle. C'était le paradis. Et tu sais quoi? Sa connasse de mère, une monoparentale, m'a même offert le souper! poursuit-il en éclatant de rire. Cette connasse voulait que je la baise... Encore un peu et je me faisais la mère et la fille dans le même lit.

Madden, qui rit à perdre haleine, perd son début d'érection.

— Non! Non! Il ne faut pas que je me déconcentre!

— Tu dois avoir énormément de plaisir à me raconter tout ça, Warren?

— Du plaisir? Non, tu n'y es pas du tout, c'est le pied! Tu n'as pas idée! Au début, c'est magique, puis, à la longue, c'est seulement plaisant à faire... mais de le raconter, ça vaut son pesant d'or... Vas-y, raconte! Raconte à ton tour comment tu t'y prends pour les convaincre de se mettre à quatre pattes.

— Laisse-moi t'aider...

Neumann s'octroie une longue gorgée de scotch, se lève lentement et se place derrière Madden. Il sort de sa poche une paire de gants en latex et les enfile.

— Qu'est-ce que tu fous? Tu veux qu'on tire un coup ensemble sur elle? demande Madden qui brandit la photo de la fillette, l'autre main toujours rivée sur son membre. Je vais en ramener plein, on va se les faire en équipe. Il y a des tas de gamines qui traînent seules de nos jours. Rien n'est plus facile que de les ramasser... À moins que tu préfères les petits garçons... moi aussi j'aime ça de temps à autre, soliloque Madden, qui n'arrive plus à voir Neumann, debout derrière lui.

— Tu veux que je te fasse découvrir des plaisirs masochistes, Warren? Il paraît qu'une légère strangulation augmente l'érection chez l'homme. Mais je n'ai jamais pu vérifier, offre Neumann en glissant sa main libre le long du cou de Madden. Ce dernier ferme les yeux et se carre dans le sofa.

— C'est ça... laisse-toi aller, je vais te raconter une histoire.

— J'adore les histoires! Surtout quand il y a des putes à poil qui rigolent en foutant la fessée à de beaux petits culs de fillettes couchées sur leurs genoux. Une fois... une fois, alors qu'une gamine que je venais d'attacher sur mon lit n'arrêtait pas de se lamenter, la gueule grande ouverte, j'ai éj...

— Chut, Warren... Chut! l'interrompt Neumann qui coupe court à la fantaisie désaxée du pervers. C'est à moi maintenant de raconter, murmure-t-il en lui passant la main dans les cheveux. Il était une fois une enfant blonde et bouclée.

Neumann trempe ses lèvres dans son verre et redescend sa main le long du cou de Madden pour lui caresser la nuque.

— Elle était belle? Elle était vilaine? Dis-moi! Quel âge avait-elle?

Neumann prend une profonde inspiration avant de reprendre son récit.

— Chuuuut! … Disons qu'elle avait l'âge du *Petit Chaperon rouge,* répond-il en serrant légèrement la nuque de Madden.

— Aaaaaaaaah! C'est bon, continue! Continue! J'adore ça! Le *Petit Chaperon rouge*! Elle est bien bonne celle-là. Continue! Continue!

— Elle gambadait tranquillement à travers bois quand elle rencontra le Grand Méchant Loup… J'adore les loups, j'en parle abondamment dans mon ouvrage. Tu aimes les loups, Warren? questionne Neumann en déplaçant sa main sur la gorge de Madden.

— Oui oui oui oui! Ah oui! Ah oui! Moi aussi j'aime les loups. Vas-y! Vas-y! Raconte! T'arrête pas! Continue! Continue ton histoire, je t'en prie… Est-ce qu'il avait de grandes dents?

— De grandes dents, Warren, de très grandes dents, le conforte Neumann.

Transporté par l'ambiance feutrée qu'impose peu à peu le timbre de voix du professeur, Madden baisse la garde, sort la main de son pantalon et se met à caresser celle de Neumann qui resserre son étreinte.

— Continue! Continue s'il te plaît, sollicite de plus belle Madden qui s'abandonne aux bons soins de son hôte. T'arrête pas! Est-ce que le *Petit Chaperon rouge* avait une cape?

— Oui, c'est ça. C'est bien, détends-toi.

— Elle était toute nue sous sa cape?

— Détends-toi, Warren, laisse-moi faire, le rassure Neumann en baissant la voix d'un cran. Notre *Petit Chaperon rouge* voulait simplement se rendre à l'école…

— Le Grand Méchant Loup a surgi des bois et l'a forcée à ouvrir sa chaumière?

— Il ne s'y cachait pas seul, Warren. Il s'était acoquiné à deux vilains petits compagnons : un affreux sorcier et son épouse, une horrible marâtre. Hélas, le *Petit Chaperon rouge* l'ignorait.

Madden se recroqueville dans le sofa en position fœtale.

— Est-ce qu'ils l'ont dévorée?

— Chuuut, Warren. Chuuut...

— Est-ce qu'elle fait la pute maintenant?

— Elle est morte! hurle soudain Neumann en cassant son verre sur la tête du satyre tout en intensifiant sa prise autour de sa gorge.

Il appuie la partie tranchante du verre brisé sur la carotide de Madden qui n'ose plus bouger. Neumann respire profondément avant de poursuivre.

— Écoute attentivement, Warren, je vais te raconter la fin de mon histoire. Malheureusement pour le Grand Méchant Loup, le *Petit Chaperon rouge* n'était pas seule. Elle avait un petit ami : moi. Dans mon histoire, lui et l'affreux sorcier ne repartent pas gaiement finir leur vie dans la forêt, comme dans le conte original. Je me suis occupé d'eux personnellement. Comme quoi le passé nous rattrape toujours, Warren. Pour ce qui est de l'horrible marâtre, sa conscience semble s'en être chargée toute seule. Chut! Entends-tu, Warren? Entends-tu? Écoute bien. On dirait des petits rires enfantins. Entends-tu tous ces petits rires, Warren? Ils arrivent de partout. Écoute! Ce sont eux, Warren. Ce sont les rires, les rires cristallins de la petite ballerine et de ses amis. Tu entends les rires, Warren ? On dirait bien qu'ils sont en train de ressurgir des parois de cette pièce où tu les as si effroyablement emmurés. Le passé nous rattrape toujours, Warren.

Neumann déplace alors sa main sur le front de Madden et fait basculer sa tête sur le dossier du sofa afin qu'il puisse le regarder dans les yeux. Son cou est à la merci du tesson acéré. Pétrifié, Madden n'oppose aucune résistance.

— Le repentir, tu connais, Warren ?

Madden hoche prudemment la tête de haut en bas. Neumann poursuit.

— J'ai une théorie bien à moi là-dessus. Tout le monde a droit à une seconde chance s'il accepte de s'amender de ses fautes… L'an dernier, j'ai conclu une entente avec un homme à Rio, après que je lui ai eu exposé de long en large que l'esprit doit se programmer au rythme de ses instincts, s'il veut garantir sa longévité. Ce dernier m'avait alors promis que, lorsque ses démons reviendraient le hanter, il me garderait ses prises au chaud sans laisser libre cours à ses mauvaises pensées et qu'il attendrait sagement mon arrivée… Exorciser les maux psychiques qui nous habitent, Warren, voilà comment purifier son âme… Il n'a pas dû bien saisir les termes du contrat. Dommage ! Dimanche soir, j'ai dû mettre fin abruptement à notre relation… Je vais devoir peaufiner ma théorie… Tu sais, sur bien des points, vous vous ressemblez lui et toi, sauf que, lui, il était complètement fêlé… Mais si l'on y réfléchit bien, tu n'as vraiment rien à lui envier.

Neumann enfonce le verre brisé dans la carotide de Madden et lui tranche la gorge avant de relâcher sa tête. Le sang gicle violemment et il s'écroule de tout son long sur le sofa.

— Tu m'excuseras pour le sang partout. Normalement, je me serais contenté de te briser le cou, mais l'autre soir, à la sortie de l'aéroport, j'ai été suivi par ce qui m'a semblé être un policier. Alors, je n'ai pas le choix. Désolé, termine Neumann pendant qu'il ramasse les photos éparpillées sur le sol et les glisse dans sa poche. Oh! j'allais oublier... La morale de cette histoire, c'est que, tôt ou tard, nous croisons tous un petit chaperon rouge. Il ne tient qu'à nous de choisir d'être le Grand Méchant Loup ou le Bûcheron. Au fait, tu ne m'as pas dit comment s'appelait celui de ton histoire. Le mien s'appelait Iris.

Madden agonise en tressaillant, les deux mains autour du cou. Il s'immobilise enfin. Neumann examine la scène, aperçoit un porte-revues, en prend une pile et les froisse feuille à feuille. Il en dispose une partie autour du cadavre et sème le reste jusqu'au meuble de bois appuyé sur le mur qu'il recouvre également de papier sur toutes ses surfaces. Il sort une petite chandelle de sa poche et la pose sur le bûcher improvisé. Pensif, il inspecte le sous-sol du regard. Ses yeux s'arrêtent sur une porte. Il l'ouvre et tombe sur la modeste cave à vin du propriétaire. Il s'empare de quatre bouteilles et retourne vers la dépouille de Madden. Il en dépose trois sur la table en bois, dévisse le bouchon de la quatrième et la vide sur le corps de Madden. Puis il ouvre les trois autres et asperge leur contenu sur les journaux jusqu'à la chandelle. Il sort un paquet d'allumettes de sa poche, en craque une et l'approche de la mèche qui s'enflamme aussitôt. Il grimpe à l'étage en courant, aligne une chaise sous le détecteur de fumée, y monte et retire la pile. Il quitte enfin les lieux en prenant bien soin de verrouiller la porte derrière lui.

26

2 h, en banlieue de Baltimore...

Un homme vêtu d'une combinaison de travail bleue est embusqué dans une haie touffue. Jumelles à la main, il surveille une fenêtre située au deuxième étage d'une jolie maison neuve. Il jette un coup d'œil vers l'imposant parking pavé de briques, toujours désert.

— *C'est cette nuit que ça se passe*, se dit-il en consultant sa montre.

Soudain, une BMW Z8 jaune citron surgit sur la route, pilotée par une jeune universitaire. Elle gare son petit bolide sur le parking et se dirige vers la porte avant de la résidence qu'elle déverrouille sous l'œil attentif du guetteur. Au moment où elle disparaît dans l'obscurité de la demeure, son téléphone portable se met à sonner du fond de son sac à main. L'homme tourne de nouveau son regard vers la fenêtre du deuxième étage, objet de

sa faction. Au bout de quelques secondes, le plafonnier s'éclaire, répandant une vive lumière dans toute la
pièce.

— Oui, oui, oui, marmonne l'homme, tout frémissant devant la chambre à coucher qui se dévoile à lui si
distinctement qu'il peut même inventorier les bibelots.

La jeune femme s'avance dans la pièce, toujours en
discussion téléphonique. Le sourire aux lèvres, elle se
dirige vers la fenêtre.

— Ne ferme pas les rideaux ! conjure l'homme tapi
dans le feuillage.

Avec l'insouciance de ses dix-neuf ans, elle s'approche
du lit, y jette son cartable et s'arrête à quelques pas de
la fenêtre dont les rideaux sont grands ouverts. Elle
coince son téléphone entre sa joue et son épaule et, les
mains derrière le dos, baisse la fermeture à glissière
de sa minijupe qu'elle laisse choir à ses pieds. Elle
dépose le téléphone sur le lit, enlève sa veste et la
lance dans un coin de la chambre. Puis elle croise les
bras derrière son dos et dégrafe son soutien-gorge
qu'elle fait glisser le long de ses bras ; elle l'envoie
rejoindre le téléphone. Enfin libérée de l'emprise du
sous-vêtement, elle masse ses seins comme pour les
soulager du poids de la journée. En souriant, elle se
campe devant la glace et les soupèse en les examinant
sous tous les angles d'un œil critique.

— Tu vas voir ce que je vais en faire si je te les
attrape, profère l'homme, un filet de salive aux coins
des lèvres.

La jeune fille ramasse le soutien-gorge d'une main
et le téléphone abandonné de l'autre. Elle se dirige vers

la commode et range le sous-vêtement de dentelle dans l'avant-dernier tiroir, faisant ainsi balancer sa lourde poitrine, ce qui ne manque pas d'exciter le voyeur embusqué qui se délecte du spectacle qu'elle lui offre à son insu.

— Oui! Oui! C'est ça, ma belle! C'est ça, continue! encourage le pervers qui s'enivre du pouvoir qu'il détient sur l'étudiante qui ignore sa présence.

Celle-ci referme le tiroir d'un coup de pied en s'esclaffant, ravie de ne plus revoir cet objet de torture avant le lendemain. Elle se retourne et approche son visage à quelques centimètres de la glace. Elle ouvre les lèvres et admire ses dents bien blanches, à l'implanta-tion impeccable, puis frotte ses gencives. Elle recule légèrement et poursuit sa conversation téléphonique avec sa camarade en rigolant.

Soudain, l'homme sent quelque chose lui frôler la jambe. Il se retourne prestement. Un chat noir se frotte l'oreille contre le bas de son pantalon. Un second vient bientôt le rejoindre et se met à lui lécher la cheville.

— Pschtt! Fichez le camp d'ici, sales bêtes! Dégagez, charognes! Allez bouffer plus loin! rage-t-il à voix basse en envoyant valser d'un formidable coup de pied le premier chat qui ne l'a pas vu venir.

Le pauvre félin s'enfuit en miaulant, pendant que le second détale sans demander son reste. L'homme émet un rire sardonique. Subitement, il retient son souffle. Il ressent une présence tout près de lui. Les sens en éveil, il scrute les alentours et aperçoit avec terreur une ombre qui se déplace sur sa gauche. Après un moment d'affolement, il réalise qu'elle provient d'un énorme chêne qui balance doucement son feuillage sous la brise. Il se détend et reprend aussitôt sa surveillance. Avec fébrilité, il pointe ses jumelles en direction de la fenêtre qui lui a procuré tant de plaisirs jusqu'ici. À son grand soulagement, la jeune fille déambule toujours la poitrine dénudée, avec pour seule parure ses bas diaphanes. Elle coince de nouveau le téléphone entre la joue et l'épaule, introduit ses pouces dans son string et le fait glisser jusqu'aux chevilles, ramassant au passage les bas nylon. Elle offre ainsi bien involontairement en pâture son corps nu au voyeur à l'affût.

— Tu en veux ! Ah oui ! Tu en veux ! Qu'est-ce que je vais t'en mettre ! Qu'est-ce que je vais t'en mettre, salope !

Dans la chambre à coucher, l'étudiante dépose ses bas et son string sur la commode. Se croyant dans l'intimité la plus totale, elle admire un moment sa silhouette dans le miroir, puis passe ses doigts dans ses cheveux à la recherche d'un élastique qu'elle fait glisser le long de sa queue de cheval. Elle s'ébroue, libérant son épaisse chevelure.

— Allez, au lit maintenant ! s'impatiente l'individu allongé sur le sol humide, les jumelles toujours rivées à ses yeux.

Goûtant candidement la beauté de ses dix-neuf ans, la jeune fille continue de s'admirer dans la glace lorsqu'un crissement de pneus attire son attention. Elle se dirige vers la fenêtre, s'exhibant ainsi complètement. Sans la moindre méfiance, elle appuie son visage contre la vitre, mais la lumière du plafonnier l'empêche de voir à l'extérieur. Sans plus s'inquiéter, entièrement préoccupée par le plaisir de sa conversation téléphonique et de l'arrivée présumée de ses parents, elle tire le rideau, mettant ainsi involontairement fin à sa périlleuse et inconsciente représentation.

Du fond de son bosquet, l'homme a lui aussi entendu le bruit de pneus. Obnubilé par le spectacle offert par la ravissante blonde, il ne s'en est pas alarmé sur le moment. Devant le rideau fermé, il reprend ses esprits et se retourne en direction du son, sans pouvoir en déceler la provenance. Alarmé, il commence à reculer en rampant. Soudain, il s'immobilise. De gros phares carrés foncent à vive allure dans sa direction. Une camionnette rouge passe devant lui et s'arrête brusquement à quelques pas, sous le feuillage de l'énorme chêne qui recouvre une bonne partie de la route. Le voyeur, qui l'est maintenant bien malgré lui, entend des cris venant de l'habitacle. Il scrute l'obscurité. Le chauffeur étire son bras devant sa passagère et ouvre brutalement sa portière.

— Allez, descends de mon camion, sale pute ! hurlet-il en poussant une femme âgée d'une trentaine d'années à l'extérieur de la camionnette.

Incapable d'assurer sa chute, la pauvre femme atterrit lourdement sur le gazon et se tord une cheville. Le chauffeur démarre en trombe.

— Hé ! rends-moi mon sac et mon argent, espèce de salaud ! crie la victime vêtue d'une robe de soirée rouge visible sous un long manteau de cachemire déboutonné.

Contre toute attente, la camionnette freine quelques mètres plus loin. Le chauffeur ouvre la portière et projette au-dehors un sac à main qui heurte un arbre de plein fouet. Il lance ensuite deux coupures de cinquante dollars, referme la portière et disparaît dans la nuit. La femme se relève en boitant et récupère son sac, ainsi qu'un des deux billets de cinquante dollars. Elle cherche un peu plus loin et repère enfin le second. Elle se penche pour le ramasser, quand elle se redresse en sursaut. Un homme se tient debout derrière elle. Elle se retourne et referme instinctivement les pans de son manteau en les maintenant bien serrés contre son corps.

— Je vous ai fait peur ? Excusez-moi, murmure l'inconnu dans la quiétude de la nuit.

— Non, ce n'est rien, répond la femme, déroutée de ne pouvoir discerner les traits de son interlocuteur.

— Je peux vous aider ? poursuit-il en sortant de la poche de son veston un rouleau de pastilles.

Il place le pouce sous la première dont on devine la forme à travers le papier usé, la fait sauter dans sa bouche et replace le rouleau dans sa poche. La femme hésite un moment.

— Non, merci, répond-elle enfin.

Elle s'éloigne de quelques pas, fouille dans son sac à main, sort un téléphone portable et l'ouvre sur un écran craquelé. Elle compose fébrilement un numéro.

— *Réponds, réponds*, implore-t-elle en fermant les yeux.

— Bonjour. Vous êtes bien chez Rachel. Je suis actuellement dans l'impossibilité de vous répondre. Veuillez laisser votre message après le bip. Merci.

— Rachel, c'est Laura. J'ai été larguée par un sombre idiot aux mains baladeuses. Il m'a prise pour une fille facile. Il a même essayé de voler mon argent, ce con ! Quand je pense que je lui ai payé à souper. Tous pareils ces bonhommes : soit ils te prennent pour une pute, soit ils te prennent pour leur mère ! Lui, il voulait les deux. Bon, allez ! Je te raconterai tous les détails si tu m'offres un bon chocolat chaud. Je suis fatiguée et il commence à faire froid. Rappelle-moi dès que tu peux, j'attends ici… Allo, allo ?…

Le téléphone se défait en pièces entre ses mains.

— *Il ne manquait plus que ça !* pense-t-elle en soupirant.

Elle lance les morceaux dans son sac et se retourne. L'homme est toujours là. Elle sursaute, puis se ressaisit, ne voulant pas laisser paraître son désarroi.

— Vous m'offrez une pastille ? demande-t-elle avec son sourire le plus charmant.

— Je peux vous raccompagner si vous le voulez, lui offre l'homme en lui tendant le rouleau.

Laura avance sa main, la paume ouverte vers le haut. D'un nouveau coup de pouce, l'individu fait tomber une pastille dans le creux de sa main. Elle sourit et la dépose sur sa langue.

— J'habite au centre-ville, ça fait un peu loin d'ici, je crois. Merci quand même, refuse-t-elle, déterminée. Mais si vous pouviez me prêter votre téléphone portable pour que j'appelle un taxi, j'apprécierais.

— Je n'en ai pas, désolé. Ma voiture est juste au coin là-bas.

Après un moment d'hésitation, Laura lui emboîte timidement le pas, mais elle grimace sous la douleur.

— Attendez, je vais vous aider. Ça vous fait mal ?

— Non, laissez. Je peux très bien marcher toute seule. Allez-y, je vous suis, décline la femme avec méfiance.

— Ne bougez pas, je peux aller chercher la voiture ou vous porter si vous voulez ?

— Vous êtes vraiment gentil, mais je préfère marcher.

Ils passent devant la maison où, quelques minutes plus tôt, la jeune étudiante s'offrait en spectacle.

— Encore quelques pas et nous y serons. Vous voyez, c'est celle-là… Voilà, ça y est, nous y sommes, encourage le bon Samaritain en pointant du doigt sa voiture.

— Elle est belle. On dirait la voiture du président ! complimente la femme avec un sourire espiègle pour détendre l'atmosphère, sachant parfaitement que les hommes adorent parler de leur voiture.

Sans relever le compliment, l'homme lui ouvre la portière. Il s'assure que sa passagère est bien assise et retourne du côté chauffeur. La main sur la poignée, il observe consciencieusement la rue, de gauche à droite. Pendant ce temps, la femme tire la ceinture de sécurité pour la boucler, mais elle sent un objet dur sous ses fesses. Elle y glisse la main et en ressort un portefeuille plat qu'elle ouvre. Au même moment, l'homme s'assoit derrière le volant.

— Vous êtes flic ?

— Pourquoi, il y a quelque chose qui ne va pas ? répond l'homme en lui arrachant l'insigne des mains.

Il la glisse dans la poche poitrine de son veston, met le contact et passe aussitôt la vitesse.

— Je me sens tout drôle, lance la femme en recrachant le petit reste de pastille qui achevait de fondre dans sa bouche.

Elle se tourne vers le chauffeur et aperçoit du coin de l'œil des jumelles posées sur la banquette arrière. Elle baisse les yeux et remarque un bout d'un tissu bleu qui dépasse du dessous du siège conducteur. Il lui fait penser à une combinaison de travail.

— Qu'est-ce que c'est que ça? Mais vous m'avez droguée! accuse-t-elle en tentant de déboucler sa ceinture.

L'homme freine et pose sa main sur la sienne pour l'empêcher de se libérer de son siège où elle est maintenant captive.

— Mais vous êtes policier, vous n'avez pas le droit de faire ça! s'objecte la femme avec stupéfaction, en luttant pour garder les yeux ouverts.

— Où as-tu vu une plaque de policier? Ça? C'est un jouet! se moque le conducteur avec un rire sadique en brandissant l'insigne. Tes parents ne t'ont jamais dit de ne pas accepter les bonbons des inconnus.

— Laisse-moi sortir! Je veux partir d'ici tout de suite!

— C'est à moi que tu donnes des ordres, connasse! Sale pute! s'écrie le ravisseur subitement furieux, en assénant deux coups de poing dans l'estomac de la jeune femme qui ploie sous la douleur. À cause de toi, j'ai perdu une nuit de rêve avec la superbe blonde qui habite juste là. On allait vraiment avoir du bon temps. Elle allait nous faire monter au septième ciel, celle-là. Ça fait des semaines que je nous la prépare. J'avais tout planifié et toi, tu débarques sans prévenir et tu viens tout foutre en l'air ! Et tu me donnes des ordres ! Bon sang ! Bon sang ! hurle-t-il en se frappant le front contre le volant. Tout est à recommencer maintenant, à cause de toi. Peut-être que je ne pourrai plus jamais rien faire avec lui, mais toi tu t'en moques ! Oh oui, tu t'en moques ! Tout ça, c'est à cause de toi ! À cause de toi !

— Je ferai tout, absolument tout ce que vous voudrez, Monsieur, mais par pitié, ne me faites pas de mal. Je vis seule et j'ai une petite fille d'à peine deux ans, elle a besoin de moi, articule péniblement Laura qui a la bouche de plus en plus pâteuse.

— Quoi ! Quoi ! Qu'est-ce que tu dis ? Ah oui ! Ah ça, tu peux le dire que tu vas faire absolument tout ce qu'on va te demander, monsieur le président et moi, salope ! Oh ça oui ! rétorque-t-il en souriant, avant de lui asséner trois autres coups de poing à l'estomac.

La pauvre femme s'écroule, inconsciente, uniquement retenue par la ceinture de sécurité. Le kidnappeur appuie sa main droite sur sa tête et la rabat le plus possible. Puis il démarre lentement et s'enfonce dans le noir. Il parcourt quelques rues avant de ralentir à l'approche d'une mignonne petite maison en briques rouges. Il actionne une télécommande et la porte du garage s'élève devant lui. Il se gare à l'intérieur et s'empresse de refermer la porte.

Une fois bien à l'abri, l'homme ouvre la boîte à gant, prend un chronomètre, le démarre et l'enfile à son cou. Sans perdre un instant, il sort du véhicule, attrape la corde qui pend du plafond et la tire. Une vive lumière éclaire toute la scène. Il file vers un placard en métal, l'ouvre, enlève son veston, le place sur un cintre et défait sa cravate anthracite qu'il ne peut s'empêcher de flatter, perdu momentanément dans ses pensées fantasmatiques. Puis il sort de sa torpeur, plie bien soigneusement la cravate avant de la glisser dans la poche du veston, ramasse un sac-poubelle sur la tablette du haut et le secoue pour l'ouvrir. Il revient vers sa Crown Victoria bleu nuit, extirpe la combinaison de sous le siège et la jette dans le sac. Puis il retire tour à tour sa chemise, son pantalon, ses souliers et ses chaussettes et les range dans le placard. Il ne garde pour tout vêtement que sa culotte et son chronomètre. Il referme le placard et ouvre le suivant. Il attrape un jean, un tee-shirt noir et une paire de chaussettes propres. Il les enfile, glisse ses pieds dans une paire de bottes et les attache, s'empare d'une veste de chasse et claque la porte du placard. Il revient rapidement vers la voiture où la pauvre Laura est toujours évanouie. Il retire les clefs du contact et ouvre le coffre arrière. Il contient un énorme rouleau de ruban adhésif gris, trois madriers liés ensemble par le même rouleau, un ruban gradué, un couteau à lame rétractable et, enfin, un plan de cabane pour enfants et un livre illustré portant sur les oiseaux de l'Amérique du Nord placés là en prévision d'une éventuelle inspection policière. Il se saisit du rouleau, attrape le couteau et fait sortir la lame d'un geste du pouce qui indique une longue habitude. Il coupe le ruban pour libérer le rouleau des madriers, referme le coffre, glisse le couteau dans la poche de sa veste et accourt vers sa prisonnière. Il relève ses cheveux pour dégager son visage et son cou, applique le ruban sur sa bouche et l'enroule autour de sa tête une bonne dizaine de fois. Puis il dépose le rouleau sur le plancher de la voiture, aux pieds de Laura. Il détache la ceinture de sécurité, lui enlève son manteau, s'empare de son couteau, sectionne les frêles bretelles de la robe et la fend de haut en bas. Ne portant aucun sous-vêtement, Laura se retrouve complètement nue. Le ravisseur se penche pour lui retirer ses souliers, mais excité par le spectacle, il décide de les lui laisser. Il ramasse son rouleau de ruban gris, l'enroule autour des chevilles, puis des mollets, et termine en liant ses bras derrière son dos.

Il agrippe sa prisonnière sous les bras, la sort du véhicule, la laisse tomber lourdement sur le plancher en éclatant de rire et la traîne jusqu'à un petit cabriolet deux portes, couleur kaki. Il ouvre le coffre arrière à l'aide d'une clef restée dans la serrure et la dépose sur l'épais capitonnage de mousse isolante qui en tapisse les parois. Sous la brusque poussée du ravisseur, le coffre se referme hermétiquement sur Laura, tel un cercueil. Il reprend le trousseau de clefs et retourne ramasser le manteau, la robe en lambeaux et le sac à main de sa victime qu'il enfonce dans le sac-poubelle. Il le noue solidement et court vers une boîte en bois fermée par un cadenas dans le fond du garage. Il y lance le sac qui s'empile sur bien d'autres et rabat le couvercle, mais la boîte déborde. Il doit s'y asseoir pour parvenir à replacer le cadenas qu'il verrouille aussitôt. Les sacs y resteront sagement enfermés jusqu'au lundi matin, six heures trente, heure à laquelle passe la benne à ordures.

Essoufflé, il consulte son chronomètre.

— Douze minutes trente-six ! Merde… je peux faire mieux ! Je peux faire mieux !

Il envoie valser son chronomètre dans la Crown Victoria, attrape la corde, éteint la lumière, s'installe au volant du cabriolet, commande l'ouverture automatique de la porte de garage et quitte les lieux. Un second exemplaire du livre sur les oiseaux de l'Amérique du Nord, d'autres jumelles et un appareil photo gisent sur le siège passager.

*
* *

Quelques heures plus tard, la petite voiture kaki arrive au pied des Appalaches. Notre homme avance lentement sur la route déserte qui coupe la forêt. Il ralentit, tourne à droite, éteint ses phares et s'engage dans un étroit chemin à peine perceptible de la route, où seule une petite voiture comme la sienne peut circuler. Il roule sur plus de trois kilomètres en pleine forêt, à moins de dix kilomètres à l'heure. Il s'arrête avant la fin du sentier et gare sa voiture en marche arrière, dans un petit coin aménagé sous le couvert végétal, camouflant ainsi parfaitement le véhicule qui ne peut être détecté de l'étroit chemin, même en plein jour. Il éteint le moteur, se dirige vers le coffre arrière et l'ouvre. Laura se réveille en sursaut. Ses yeux exorbités montrent qu'elle comprend toute l'horreur de sa situation. Elle hurle, mais son cri est étouffé par le ruban qui lui obstrue la bouche. Elle tente alors désespérément de se libérer de ses liens. Devant ses vains efforts douloureux, son bourreau se met à rire.

— Oh! c'est qu'elle a pas l'air contente, la petite.

L'homme extirpe tant bien que mal sa prisonnière du coffre en l'agrippant par le ruban et la balance. La pauvre femme atterrit brutalement dans les broussailles. Le tortionnaire l'attrape par la crinière qu'il enroule autour de sa main et la traîne péniblement vers un minuscule sentier pédestre, à quelques pas de là. Une poignée de cheveux lui reste entre les doigts.

— Bordel, ça ne marche pas ce truc! J'ai toujours voulu essayer ça. Tu dois avoir le cul trop lourd.

Il retourne chercher une pelle et une corde, et revient vers sa victime. Il insère la corde sous ses aisselles et fait un nœud solide dans le dos. Il se relève, enroule l'extrémité de la corde autour de sa main et recommence à la traîner. La vue embrouillée par les larmes, Laura se débat. Dans ses efforts inutiles pour se dégager, elle perd une chaussure. Elle s'agite si violemment que son agresseur n'arrive plus à la tirer. Énervé et fatigué, il s'arrête et la pointe du doigt en brandissant la pelle de l'autre main.

— Arrête de bouger! Tu as compris, je ne veux plus voir un muscle bouger, sinon on ne partira pas d'ici, tu comprends!

Mais la jeune femme en pleurs est tellement terrorisée qu'elle n'entend pas un mot de ce que lui raconte son agresseur. Elle tente de s'en éloigner en rampant sur le dos. Il réplique en lui posant le pied sur le ventre.

— Qu'est-ce que je t'ai dit ? Arrête de gigoter ! Arrête de gigoter ! ordonne-t-il les lèvres pincées, avant de lui asséner une série de coups de talon dans l'abdomen.

Laura se tord de douleur. Insulté, le sadique serre les dents, pose le tranchant de la pelle contre sa gorge et y applique une légère pression avec son pied.

— Tu vas te calmer, espèce de salope ? Tu vas te calmer, oui ?

Dans la noirceur, Laura plonge son regard apeuré dans celui de son tortionnaire et s'immobilise. Le bourreau relève la pelle. La pauvre femme se recroqueville et pleure à chaudes larmes.

— Tu ne diras pas que tu n'auras pas été prévenue, l'avertit-il comme pour lui indiquer qu'il y a des règles à suivre et que, si elle se fait battre de nouveau ou même tuer, ce sera entièrement sa faute.

L'homme la soulève sans ménagement, la jette sur son épaule, sort la petite lampe de poche de sa veste et reprend sa marche à travers bois. Laura n'offre plus aucune résistance. Elle sanglote de désespoir, les yeux fermés, ne pouvant croire ce qui lui arrive. Épuisée, elle finit par s'évanouir et sa tête balance mollement à chaque pas. L'homme atteint enfin un énorme monticule de roches et de terre situé sur un terrain privé jouxtant le Parc de Shenandoah. Il éteint sa lampe, tend l'oreille et inspecte du regard les alentours. Il secoue son épaule et laisse tomber sa proie. Il pique sa pelle dans le sol, devant l'entrée de la grotte d'Auguste Neumann, déplace précautionneusement les branches, dégage l'ouverture et pénètre dans l'antre. Il allume la lanterne et l'accroche au centre de la cave, devant des chaînes rouillées fixées sur des planches ancrées dans le mur de terre et de bois. Il retourne vers Laura et l'agrippe par les cheveux, s'attendant à la faire réagir pour s'émoustiller un peu. Mais celle-ci reste totalement inerte.

— Hé! tu n'es pas déjà crevée, connasse? J'espère que tu n'as pas l'intention de nous faire le coup de l'autre sale pute qui a claqué avant même qu'on y touche. Tu vas nous donner un peu de plaisir avant, salope!

Il traîne le corps de sa victime devant l'étroite ouverture, y pénètre, sort les bras et la hisse dans le couloir exigu en la glissant lentement à l'intérieur, à l'instar de la fourmi qui insère le cadavre de sa proie dans l'orifice de son nid pour l'enfoncer petit à petit dans la terre d'où elle ne ressortira jamais.

27

Vendredi matin, 10 h, dans la salle de conférences du FBI, Quantico...

Jarvis est assise devant ses notes, les bras accoudés sur la table. Elle respire bruyamment et garde les yeux rivés sur son hardi compagnon. Bien qu'il parle à voix basse, ce dernier n'en finit plus de la bombarder d'histoires de tueurs en série plus désaxés les uns que les autres. Il se met en quatre pour la convaincre que Neumann est l'artisan de la mort de Christina et que, s'ils n'agissent pas rapidement, il y aura beaucoup d'autres victimes.

— Dans les années soixante, *l'Étrangleur de Boston,* Albert De Salvo, tua plus d'une douzaine de femmes en les étranglant avec leurs bas nylon. Ses six premières victimes étaient toutes des femmes âgées, alors que lui n'était encore que dans la trentaine. Les autopsies ne révélèrent aucune trace de sperme à

269

l'intérieur des corps. On comprit plus tard qu'il tuait symboliquement sa mère. Durant son enfance, cette femme n'avait démontré que de la froideur à son égard. Ces premiers meurtres lui permirent de s'affranchir de sa rage envers elle. Malheureusement, il ne s'arrêta pas là. Il viola et tua six autres femmes, toutes très belles et dans la vingtaine, cette fois. Pourquoi ? Tuer des femmes mûres ou tuer et violer des jeunes filles ne représente pourtant pas le même fantasme meurtrier. D'ailleurs, à l'époque, les enquêteurs ont cru qu'ils avaient affaire à deux tueurs distincts. *L'Étrangleur de Boston* a forcé les psys et les policiers comme nous à comprendre qu'un tueur n'est pas un être venu d'outre-tombe. Il s'agit plutôt d'un individu qui se construit en fonction de sa personnalité propre et des limites que lui impose son environnement. De Salvo avait été maltraité dans l'enfance, ce qui engendra chez lui des désordres psychologiques. Pour tuer sa rage contre sa mère, il étrangla six femmes âgées. Une fois apaisé, il commença à considérer les jeunes filles comme des objets de désir sexuel. Or, ses premiers meurtres l'avaient plongé dans la perversion et, au lieu de les séduire, il se mit à les violer et à les tuer pour se prouver qu'il était maintenant un homme viril, jusqu'à son arrestation…

— De Salvo était marié depuis des années et avait deux enfants. C'était un détraqué emmuré dans sa spirale de déviance. Tout ça, c'est bien beau, mais où veux-tu en venir, Simon ?

— Là où je veux en venir, c'est que, si De Salvo s'est attaqué tant à des femmes âgées qu'à des jeunes filles, il ne fait aucun doute que Neumann puisse à la fois occire proprement certains individus et s'en prendre de façon plus violente à un groupe qu'il aura ciblé tel que les prostituées, conclut Seward, en consultant sa montre. Il est dix heures passées, Nicole, et Judy n'est pas rentrée chez elle et n'a toujours pas tenté de joindre son petit garçon !

Le téléphone portable de Jarvis interrompt la démonstration du fougueux policier. Elle attrape son sac à main et en sort l'appareil.

— Agent spécial Jarvis, j'écoute !... Oui, comment allez-vous ? QUI ?

Jarvis regarde Seward, l'air décontenancé. On frappe à la porte. Au troisième coup, la secrétaire fait irruption dans la salle de conférences, se dirige vers Jarvis et lui tend un message. Jarvis s'en empare en la remerciant d'un hochement de tête. La secrétaire s'en retourne aussitôt en refermant la porte derrière elle. Jarvis dépose le papier sur sa pile de notes sans même l'avoir lu, tant elle est captivée par son interlocutrice.

— Très bien... Oh ! encore merci d'avoir appelé. N'hésitez pas à me contacter s'il y a du nouveau. Merci. Au revoir.

Jarvis raccroche enfin.

— Que se passe-t-il ? demande Seward qui décèle une inquiétude dans l'œil de sa collègue.

— C'était la travailleuse sociale qui a pris en charge les enfants de Christina Johnson. Elle voulait m'informer que les gamins avaient été temporairement placés à la maison Perkins.

— Quoi ?

— Auguste Neumann est passé en personne signer les papiers et ramasser les enfants hier après-midi au Bureau de la protection de l'enfance de Washington, et il est aussitôt reparti avec eux.

Seward virevolte sur sa chaise et se lève d'un bond.

— Je file à Chester Gap ! Si ce dingue sort de sa tanière cette nuit, je veux être là pour lui mettre la main au collet !

— D'accord.

— Tu m'accompagnes ? demande Seward déjà sur le pas de la porte.

— Non, je ne peux pas. Tu as oublié ? J'ai rendez-vous avec Madame Darc. Elle doit passer vers 13 h 30 pour les prélèvements sur la petite Davis, lui rappelle Jarvis avec un soupir, visiblement déçue de ne pas pouvoir l'assister.

— Bon, alors je file.

Seward disparaît au bout du couloir. Jarvis reprend peu à peu ses esprits et jette un coup d'œil sur son bureau. Son regard croise le message que la secrétaire vient à peine de lui remettre et dont elle ne s'est toujours pas instruite. Elle le saisit et commence à le lire quand son portable sonne.

— Agent spécial Jarvis, j'écoute.

— Mademoiselle Jarvis, Madame Darc à l'appareil. Comment allez-vous ? s'informe la directrice assise à son bureau de la maison Perkins, pendant qu'elle appose sa signature sur les documents que sa secrétaire lui présente un à un.

— Très bien merci. Et vous ?

— Bien merci. Je voulais vous demander si quinze heures vous irait quand même, car il me sera impossible de me libérer avant.

— Votre heure sera la mienne. Quinze heures me va très bien.

— Alors, à cet après-midi.

— Au revoir, salue Jarvis avant de couper la communication.

La policière reprend sa lecture.

— Nom de Dieu !

Elle se lève d'un bond et accourt dans le couloir, mais Seward a déjà disparu. Elle revient rapidement sur ses pas tout en composant un numéro sur son portable.

— Agent spécial Seward, j'écoute ! répond Seward au volant.

— Simon, c'est Nicole. Neumann a fait l'acquisition d'un chien sanguinaire. Une femme vient d'informer le bureau qu'après la mort de son mari, qui était policier, elle a vendu son chien pisteur à Neumann : l'escouade canine n'en voulait plus parce qu'il était devenu trop agressif. Certains policiers auraient même dit qu'il aimait tellement flairer la chair humaine qu'il allait finir par en dévorer...

— Oh ! oh ! pas si vite.

— Ces gens possédaient un chalet près de Chester Gap, et ce chien adorait courir dans le Parc de Shenandoah et débusquer tout ce qu'il trouvait sur son passage, s'affole Jarvis en faisant les cent pas dans la salle de conférences.

— Nom de Dieu !

Après un moment de réflexion, Jarvis reprend d'une voix saccadée.

— Neumann utilise cet animal pour chasser ces pauvres filles. Tu disais qu'il ne voulait pas tuer lui-même ces femmes pour se garder bonne conscience, mais qu'il savait également qu'il ne pouvait pas toujours leur faire confiance et les laisser partir après les avoir châtiées, purifiées, ou je ne sais trop quoi. Dans le doute, il les laisse fuir nues dans la forêt, non pas en espérant qu'elles meurent de peur, mais bien parce qu'il lâche son chien derrière elles. Quand il en a fini avec elles, Neumann fait bouffer ses victimes. Christina Johnson ne s'est pas sauvée de Neumann, Simon, elle était au bord de l'épuisement parce qu'elle avait son chien à ses trousses.

Leur euphorie fait place à un silence de mort. Les deux partenaires, horrifiés, digèrent leur hypothèse, chacun rivé à son combiné.

— Il faisait orage. Neumann a surestimé le flair de son chien, c'est pour ça qu'on a retrouvé Christina intacte, renchérit Seward.

— Il faut que j'en parle à Jamison dès son arrivée, rappelle Jarvis, toujours soucieuse de la ligne de commandement.

— Non ! Il n'est pas là et c'est tant mieux. Jamison est encore plus bouché que saint Thomas quand il est question de Neumann. Il ne croit pas un traître mot de toute cette histoire. Arrange-toi pour te débarrasser au plus vite de cette Darc et viens me rejoindre.

— Je fais au plus vite... Hé ! fais attention à toi, Simon : que je te retrouve entier ! recommande Jarvis, ce qui ne manque pas de réconforter Seward.

— Merci, Nicole.

— Trouve la cache de ce cinglé avant qu'il ne sacrifie une autre fille !

— Avec un peu de chance, je vais le dénicher avant qu'il ne soit trop tard pour Judy, s'engage Seward gonflé à bloc, en enfonçant l'accélérateur.

28

Au même moment dans l'antre, quelque part dans les montagnes appalachiennes…

Enveloppée dans l'obscurité la plus totale, Laura est évanouie. Dans un réflexe inconscient, elle bouge la jambe droite. Mais elle est entravée et la résistance des liens la tire de son état léthargique. Sa tête se redresse brusquement et va heurter le mur de terre sur lequel elle est appuyée. Laura ouvre les yeux et tente en vain de percer les ténèbres où elle se trouve. Elle est effrayée et ignore totalement où elle est. Dans son esprit, les récents évènements se mettent à défiler à toute allure. Elle revoit la camionnette rouge, le sol où elle a chuté, le faux policier, sa voiture et puis… plus rien. C'est le trou de mémoire.

Elle tente d'ouvrir la bouche. Un ruban adhésif l'en empêche. Elle essaie de rapprocher ses membres, mais elle est retenue au mur par des chaînes qui pèsent sur ses poignets et ses chevilles. Elle réalise alors qu'elle est prisonnière, nue contre un mur froid et humide, ses pieds reposant sur la terre battue.

— Haaa ! ... hurle-t-elle sous son bâillon.

Elle s'évanouit de nouveau en se frappant la tête contre le mur de terre solidement compactée. Il s'écoule moins de quinze secondes avant qu'elle ne reprenne conscience. Elle a pourtant tout oublié de sa fâcheuse position et croit qu'elle est chez elle. Mais la vérité la rattrape rapidement.

Elle hurle de terreur, mais les sons sont étouffés par le ruban gris. Isolée dans ce trou qui s'apparente à un tombeau, elle anticipe avec effroi son agonie. Ses joues sont inondées de larmes et elle se débat comme une forcenée en criant à l'aide. Seules le cliquetis des chaînes lui répond. Épuisée, elle s'effondre et se laisse porter mollement par ses attaches de fer. Mais ses bras se tendent douloureusement, soutenus par les impitoyables bracelets qui la maintiennent debout, lui refusant jusqu'à la possibilité de se replier sur elle-même pour se réchauffer et se prémunir contre le danger.

Elle reste là, écartelée, comme si elle attendait la venue de son bourreau. Le menton enfoncé dans le cou, le corps gelé et sans aucun contrôle sur sa propre personne, elle pose ses mains bien à plat contre le mur derrière elle et gratte la terre dans l'espoir d'y trouver un salut quelconque. Elle glisse ses doigts écartés le long de la paroi lorsque, soudain, son auriculaire droit touche une matière qui n'est ni du métal ni de la terre. Bien qu'elle n'y voie rien, Laura tourne sa tête vers l'objet. Elle tâte la surface et effleure ce qui semble être le rebord d'une planche. Elle en déduit que ses chaînes doivent être fixées dans le bois. Elle allonge le bras, les doigts bien tendus, jusqu'à ce qu'elle atteigne le bord de la planche. Elle s'étire de toutes ses forces, malgré le bracelet de fer rouillé qui s'enfonce dans la chair de son poignet gauche, et parvient enfin à faire déborder la totalité de la phalangette de son majeur. Elle se met à gratter du bout du doigt et la terre s'ameublit. Portée par l'espoir, elle creuse avec frénésie quand elle se casse l'ongle qui reste pendant à son doigt. Elle éclate en sanglots. Elle a à peine entamé un demi-centimètre de terre. Abattue, elle se laisse retomber. Au bout d'un moment, le désespoir fait place à la rage. Elle relève la tête, redresse son corps, contracte ses muscles et, en hurlant à travers le ruban, elle tire, frappe et s'agite dans tous les sens. Mais en vain. À bout de force, elle s'affale lourdement, pesant de tout son poids au bout de ses fers qui la retiennent prisonnière.

Soudain, le bois émet un craquement au niveau de son pied droit. La pauvre Laura sursaute, croyant que sa cheville s'est disloquée. Elle s'appuie prudemment sur son pied. La seule douleur qu'elle ressent est celle de la foulure provoquée par sa chute lors de sa brutale éjection de la camionnette. Elle sait maintenant que c'est bien du bois qui vient de se fendre. Elle sèche ses larmes, bande les muscles de sa jambe droite et tire sur son entrave. Elle entend le bois craquer et redouble d'efforts. La planche, qui retenait jusqu'ici son pied droit, cède sous la pression. Sa jambe est enfin libre, malgré la chaîne qu'elle traîne comme un boulet.

La manœuvre produit un tel fracas qu'un corbeau qui béquetait paisiblement sur la voûte de l'antre prend son envol. Il monte rapidement pour émerger au-dessus de la cime des arbres où, après quelques battements d'ailes, il se laisse porter par le vent du sud-ouest. L'oiseau noir plane au gré du courant, tantôt à gauche, tantôt à droite. Au bout d'un moment, il plonge à travers les arbres et se pose sur une branche en croassant. Quelques mètres plus loin, Seward marche vers le nord parmi les fougères. Alerté par le cri, il se retourne vers le corbeau. Surpris, ce dernier s'envole. Seward observe l'oiseau filer à contrevent vers le sud-ouest d'où il vient. Puis il tourne son regard vers l'arbre où s'était réfugié le corbeau. Songeur, il se passe la main sur le front et scrute l'horizon.

29

Vendredi, 15 h 10, dans le cours de psychanalyse animale, université de Boston…

La classe est déjà au complet et les élèves attendent patiemment le début du cours. Neumann, vêtu d'un veston de velours côtelé brun et d'un gilet du même ton, fait son entrée, la tête basse et les traits tirés. Il se rend à pas rapides jusqu'à son pupitre, dépose son cartable sur sa chaise et l'ouvre. Il sort le livre dont il est l'auteur, le pose sur le coin de son bureau et se retourne, face à la classe.

— Bonjour ! Je suis en retard. Excusez-moi. Cela ne se reproduira plus, soyez-en assurés… Bien !

Il se dirige vers le tableau et prend une craie.

— Nous avons vu la semaine dernière que Freud soutenait que l'Homme pourra corriger les comportements névrotiques de sa société le jour où il disposera d'une toile de fond pour distinguer les bons des mauvais comportements. Or, à son époque, l'homme vivait encore sous l'emprise de la croyance et non sous l'égide de la science. L'homme blanc était supérieur au noir, le riche au pauvre, l'homme à la femme et l'Homme à toutes les autres espèces vivant sur cette Terre. Cela peut paraître farfelu aujourd'hui pour des êtres instruits comme vous, mais l'humain paye encore le prix fort au regard de ces croyances dont certaines, il faut bien le dire, persistent... L'Homme s'est totalement exclu de son monde instinctif pendant des milliers d'années, et il fait maintenant face à son extinction.

Voilà donc que, malgré toutes les prétentions de notre espèce, la science a forcé l'homme à réaliser que, somme toute, sa vie ne se différenciait pas de celles des autres animaux. Elle a prouvé que nous sommes dotés des mêmes organes externes et internes, des mêmes besoins biologiques, des mêmes méthodes de reproduction, et que nous mourons des mêmes causes... Notre cours ne s'intitule pas *Psychanalyse animale* pour rien ! conclut Neumann.

Il s'avance vers les élèves, le sourire aux lèvres.

— Freud disait à ce sujet que l'évolution de l'Homme procède de la même dynamique que celle des animaux et ne nécessite pas d'autres interprétations. Dans *Métapsychologie*, il confessait que l'étude des comportements des diverses hordes d'êtres vivants contribuerait un jour à l'évolution de l'Homme et à l'avancement de sa société. Je vous invite donc à découvrir, à travers le loup, ce à quoi pourrait ressembler la vie de l'Homme si ses comportements étaient guidés par l'essence même de ce qui l'anime, et non par des concepts artificiels, dénaturés et avilissants qu'impose notre société actuelle.

Neumann se dirige vers le tableau et y inscrit le mot *Loup*.

— Chez le loup, la horde est une société hiérarchisée dont le nombre d'individus varie selon le potentiel du territoire. Elle est caractérisée par un climat de franche camaraderie, attribuable à la remarquable capacité de communication de cette espèce. La camaraderie…

Il se tourne vers le tableau et y inscrit *Camaraderie* sous le mot *Loup*.

— La horde est dirigée par un seul couple dont le mâle possède des aptitudes psychologiques particulières. Il a été observé qu'il est calme, sage, évolué, juste, équitable, tolérant, bienveillant, attentionné et combatif. De plus, il possède un sens inné du territoire. Contrairement à la croyance populaire, il ne s'impose pas par la grosseur, la force physique ou l'intimidation, et ne manifeste pas de comportements colériques ou hystériques. La survie du groupe et de sa descendance, voilà ce qui prime chez le loup.

Neumann se rend au tableau et écrit *Descendance* sous *Camaraderie*.

— Jamais le loup n'enverra chasser les autres loups pour son seul profit. Il chasse avec eux et si la nourriture est insuffisante, il y retournera pour les nourrir tous, contrairement à la société humaine qui laisse mourir de faim bon nombre de ses membres. Le loup mange à satiété, mais n'accumulera pas de nourriture pendant que ses congénères souffrent de la faim.

Neumann inscrit *Équitable* sous *Descendance*.

— Il n'existe pas de membre exploité dans une horde. Tous ont accès aux bénéfices. Car le loup ne permet pas les comportements et attitudes qui mettraient en péril la cohésion et l'harmonie de la horde. Dans la nature, la valeur d'un individu ne s'achète pas et n'est pas transmise de père en fils. Elle est dévolue en fonction de son développement psychique. Le concept moral de la hiérarchie sociale est ici entièrement accolé à celui édicté par la nature, où le rang de chaque individu dépend directement de son utilité sociale. L'humain est loin de posséder une telle morale. Si un loup se trouve en péril, le premier à le défendre sera toujours le loup de tête. Par contre, la plupart du temps chez l'humain, c'est le soldat qui se met en danger, alors que le général reste en retrait. On peut comprendre alors le succès de généraux tels Géronimo et Crazy Horse qui se battaient aux côtés de leurs guerriers. Ils n'accordaient pas plus de valeur à leur vie qu'à celles de leurs frères combattants.

De même, la louve détient une place prépondérante dans la horde. Non seulement elle occupe un rang comparable à celui du mâle, mais, de plus, c'est elle qui a la responsabilité de l'éducation des louveteaux. En gardienne féroce de la tanière, elle ne les quitte jamais et les protègera jalousement jusqu'à leur maturité. Par ses contacts chaleureux et soutenus, la mère permettra aux louveteaux de développer leurs aptitudes psychologiques et d'apprendre à vivre en harmonie avec l'environnement. Nous qui pensions être l'espèce la plus attentionnée envers nos enfants ! Mais ce n'est pas tout.

Des chercheurs ont même décelé chez tous les membres de la horde, au cours de cette période, une production accrue de prolactine, hormone socialisante. Ainsi, toute la meute se consacre au bien-être des louveteaux. Oups! ... Coup dur pour les détracteurs de l'enfant-roi. L'attention, c'est la base de tout!

Neumann se dirige au tableau et écrit sous *Équitable* le mot *Attention*.

— L'attention, c'est l'écoute, l'amour et l'intérêt qu'on porte aux gens qui nous entourent. Que font les loups qui ne veulent pas consacrer toute leur énergie à s'occuper de louveteaux?

— Ils n'en font pas, répond timidement un élève assis au milieu de la classe.

— Ils n'en font pas, répète Neumann, à la fois surpris et heureux qu'un élève ait trouvé la réponse. Nous ne serons donc pas surpris d'apprendre que les louveteaux occupent une position privilégiée face aux adultes qui encaisseront leurs jeux débridés sans riposter. Ces séances de jeux servent à leur apprentissage et constituent une démonstration de leur acceptation dans la horde. Bien qu'il soit plus fort et capable de n'en faire qu'une bouchée, l'adulte laissera le petit lui faire ce que bon lui semble... Décidément, brimer les enfants ne semble pas être un signe de virilité pour le loup!

Neumann fait une brève pause pour laisser réfléchir ses élèves avant de reprendre.

— La mansuétude! Voilà ce qui permet l'évolution de la progéniture.

Il retourne au tableau et inscrit *Mansuétude* sous *Attention*. Puis il se tourne face aux étudiants.

— Il arrive que certains loups se fassent expulser de la horde, et parfois même tuer, sans que les observateurs n'arrivent trop à saisir pourquoi. Des facteurs comme l'irrespect envers les louveteaux me semblent une hypothèse à retenir. Toute action a un sens dans la nature. Bien! Nous pouvons constater que la hiérarchie chez le loup sert à assurer la survie et le bien-être de tous les individus. Il n'y a chez cette espèce ni abus ni exploitation des autres ou de l'environnement. Le respect de la nature! Voilà ce qui guide le comportement du loup et décrit le mieux sa psychologie.

Neumann retourne au tableau et inscrit *Respect de la nature*, puis le souligne. Il dépose sa craie sur le rebord du tableau.

— En conclusion, il est fascinant de constater à quel point le jugement du loup est empreint d'un grand respect collectif et subordonne la volonté de chaque individu au profit de l'équilibre environnemental que commande la chaîne alimentaire. Nous savons maintenant à quoi pourrait ressembler la vie de l'Homme si ses comportements étaient guidés par ses instincts. Freud a désormais sa toile de fond pour couler les fondations de la société idéale à laquelle nous avons tous droit.

Un élève assis au fond de la classe lève sa main.

— Oui?

— C'est parce que le temps alloué pour le cours est dépassé, Monsieur!

Cette remarque judicieuse ne manque pas de faire éclater de rire toute la classe qui voyait bien que leur professeur était tellement concentré sur son enseignement qu'il en avait perdu la notion du temps. Son ami, assis à ses côtés, lui assène un coup de poing sur l'épaule en riant.

Neumann consulte sa montre.

— Oh! je vois! Je suis moi-même un peu pressé. Excusez-moi, je suis confus, je me suis encore laissé emporter par le sujet. Bon, alors à la semaine prochaine!

Neumann, un peu embarrassé, libère ses élèves qui s'empressent vers la sortie dans un vacarme tout ce qu'il y a de plus universitaire. Il remballe rapidement ses affaires et plonge dans la masse grouillante sans même effacer ses notes, ce qui n'est pas dans ses habitudes.

30

19 h 40, au parking du FBI, Quantico…

Jarvis s'assoit au volant de son véhicule. Elle attache sa ceinture, prend une grande inspiration, sort son portable et appuie sur le bouton de recomposition.

— Réponds! Réponds!

— Vous avez bien joint le…

Jarvis lève les yeux au ciel, coupe la communication et compose un nouveau numéro.

Pendant ce temps, Seward se fraie un passage parmi les arbres. Épuisé et sentant la nuit approcher, il s'efforce de ne pas désespérer, mais le découragement commence à le gagner. Il se motive en se disant que, si cette pauvre Judy est encore vivante, elle doit être là, quelque part, et qu'il n'a pas le droit de l'abandonner. Son portable sonne. Le policier en profite pour souffler. Il fouille fébrilement dans la poche de sa veste à l'effigie du FBI, s'empare du portable et répond.

— Agent spécial…

— C'est Nicole, ça va?

— Oui, très bien, un peu fatigué… mais bon.

— As-tu trouvé quelque chose?

— Non.

— Tu n'as pas trouvé un chemin, un sentier, rien?

— Non, je n'ai encore rien trouvé.

— Ce n'est pas normal, il y a quelque chose qui cloche.

— Et toi?

— Madame Darc m'a posé un lapin. J'ai essayé de la joindre tout l'après-midi et, chaque fois, je suis tombée sur son répondeur.

— Qu'est-ce que tu comptes faire?

— Je pensais prendre une douche et aller te rejoindre, mais… tu n'as toujours rien et il se fait tard. Le temps que je gagne le parc, il fera noir. On ferait peut-être mieux de retourner à la première heure demain matin, frais et dispos.

— Il n'est pas question que j'abandonne si près du but, Nicole, ça non!

— Je ne te dis pas d'abandonner. Je te signale juste que ce dingue se trimbale avec un chien tueur, qu'il doit être armé et qu'il connaît cette forêt comme le fond de sa poche. Alors que nous, nous nous baladons sur un terrain privé, sans invitation ni mandat. Nous n'avons aucune expérience pour ce genre d'intervention, pas d'équipe tactique pour nous épauler, pas d'hélicoptère pour nous couvrir ni de chien pour nous guider, et il va bientôt faire complètement nuit. Agir de la sorte, c'est carrément du suicide. Tu as passé la journée à arpenter cette forêt et tu n'as toujours pas la moindre idée où se trouve sa cache. Par cette noirceur, autant chercher une aiguille dans une botte de foin !

— La monomanie, tu connais ?

— Bien sûr ! Qu'est-ce que tu crois ? s'indigne Jarvis. Mais quel est le rapport ?

— Je t'écoute !

— Le psychopathe vit une fixation autoérotique qui limite énormément son action. Il répète sans cesse ce qu'il aime et il est peu original, car l'originalité n'est pas utile dans le monde fantasmatique. Tant et aussi longtemps que son monde lui permet d'oublier ses problèmes, il est prisonnier de son autoérotisme. Pour tout être humain, revivre sans cesse un même plaisir est sécurisant et lui permet d'oublier momentanément les vicissitudes de son existence. Le tueur en série ne fait pas exception à cette règle.

— C'est exact ! Et c'est pour ça qu'on dit que le meurtrier revient toujours sur les lieux de son crime.

— Je te rappelle, Simon, que le tueur ne changera pas sa formule si celle-ci est gagnante. Il ne s'en tiendra qu'à ce qu'il connaît déjà. Or, tu as souligné toi-même ce matin que Neumann pourrait utiliser plusieurs façons de tuer. Il ne serait donc pas soumis à la monomanie et, par conséquent, ne serait pas enclin à revenir sur un même lieu pour commettre ses crimes, rétorque Jarvis qui, irritée par son entêtement, lui renvoie sa contradiction en plein visage.

— Oui, peut-être, tu marques un point, je l'admets… Mais disons qu'il souffre de *plurimonomanie.* Ça te va, ça ?

Jarvis pousse un long soupir. Seward en profite pour poursuivre.

— Je n'ai pas l'intention de bouger d'ici ! Alors, rentre chez toi, prends une bonne douche, détends-toi et viens me rejoindre plus tard. Qu'est-ce que tu en penses ? propose Seward dans une tentative de conciliation.

— Je vais commencer par aller me doucher et je te rappelle.

— C'est bien, à plus tard.

— Oh, j'oubliais ! J'ai croisé Jamison et je lui ai dit que tu étais à Chester Gap…

— Quoi ? On avait convenu…

— Attends, Simon ! Ne t'énerve pas ! Ne me fais pas regretter de t'avoir couvert ! Je lui ai juste signalé que tu étais à Chester Gap à la recherche d'indices. Je n'ai rien dit de plus. De toute façon, il n'avait pas de temps à m'accorder. Il est passé à son bureau en coup de vent. Sa secrétaire m'a raconté que, depuis hier après-midi, les avocats de la femme du sénateur Bighter n'arrêtent pas de le talonner et Jamison est littéralement sur les dents. Dans ces cas-là, tu sais comme moi qu'il n'est pas à prendre avec des pincettes.

— Et qu'est-ce qu'il t'a dit ?

— Il m'a juste lancé froidement : *On se revoit lundi !*

— Qu'est-ce que ça voulait dire ?

— D'après toi ? Il faut vraiment que je te fasse un dessin ? Ça veut clairement dire que, lundi matin, il attend notre rapport sur son bureau et que, si l'on n'a rien pour justifier notre temps passé sur la route, on peut aller directement pointer au chômage, réplique sèchement Jarvis, déchirée entre son collègue et sa carrière.

— O. K. ! J'ai saisi. Excuse-moi, Nicole. On se rappelle plus tard, d'accord ? répond calmement Seward qui comprend cette fois que Jamison a mis de la pression sur Jarvis et qu'elle est excédée. Je ne te retiens pas plus longtemps, je me remets de ce pas au travail.

— C'est ça, à plus tard, conclut Jarvis en lançant son portable à côté de son sac à main.

*
* *

Exténuée, préoccupée par le ton de son patron et inquiète pour Seward, Jarvis roule lentement en effleurant à peine la pédale d'accélérateur. Quelque quarante minutes plus tard, elle rentre chez elle avec un sac à provisions. Aussitôt la porte franchie, elle se débarrasse de ses chaussures en secouant ses pieds. Elle dépose son sac à main sur la table dans l'entrée, sort son portable, le connecte et file à la cuisine défaire ses courses. Une branche de céleri à la main, elle se dirige lentement vers sa chambre où elle se dévêt en un temps record. Elle ouvre la penderie et choisit des vêtements de sport qu'elle roule avant de les enfoncer dans un sac de voyage. Elle retourne dans le hall d'entrée, dépose le sac près de la porte, ouvre le placard et attrape une paire de bottes qui va rejoindre le sac de voyage. Elle regagne la penderie, sort un pantalon, une veste et les jette distraitement sur son lit, préoccupée par la défection de Madame Darc. Puis elle sort de sa torpeur et examine le pantalon.

— Je ne vais pas porter ça. On va sûrement sortir manger une bouchée ou prendre un verre après. Pas de pantalon. Attends un peu…

Elle retourne vers la penderie et fait défiler les vêtements un à un. Enfin, elle arrête son choix sur une jupe droite qui lui arrive à mi-cuisse. Son tissu de lainage de teinte rouille convient parfaitement au paysage automnal. Elle complète sa tenue d'une paire de souliers fermés du même ton, montés sur des talons carrés qui permettent une démarche à la fois solide et élégante. Elle les essuie pour en enlever la poussière avant de se diriger vers la salle de bains. Elle saute sous la douche et ferme les yeux. Le jet d'eau chaude commence à la détendre et finit par avoir raison de ses soucis. Elle se prélasse ainsi pendant plus d'une demi-heure. Enfin, elle ouvre les yeux et ferme l'eau. Elle entend alors son téléphone portable résonner dans l'entrée.

— C'est pas vrai !

Elle attrape la première serviette qui lui tombe sous la main, éponge rapidement ses pieds, l'enroule autour de son corps et file vers l'entrée.

— Agent spécial Jarvis, j'écoute ! répond-elle essoufflée.

— Agent Jarvis, Michelle Darc à l'appareil.

— Oui ?

— Avant tout, je tiens à vous présenter mes excuses, je n'ai pas pu me rendre à vos bureaux et j'ai eu un problème avec mon téléphone, mais tout est rentré dans l'ordre. Je voulais vous faire savoir que j'étais profondément désolée de ce fâcheux contretemps. Choisissez le lieu et l'heure du prochain rendez-vous et je vous garantis que j'y serai. Vous avez ma parole.

— Est-ce que la petite Julie Davis est avec vous ?

— Oui, bien sûr ! Elle est juste à côté de moi et semble vraiment adorer l'architecture de cette vieille maison.

— Dans ce cas, je saute dans ma voiture, lance précipitamment Jarvis, qui souhaite clore ce dossier au plus vite.

— À cette heure, vous n'y pensez pas ? Je ne crois pas être à la porte de chez vous, souligne Madame Darc d'une voix amusée.

— Pourquoi ? Vous m'avez pourtant dit que vous seriez à Washington aujourd'hui, Madame Darc.

— Bien justement, ce n'est pas la porte à côté !

— Comment ça ? questionne Jarvis, perplexe.

— Mais nous sommes à Washington en Virginie.

*
* *

Éreinté et en sueur, Seward sort de la forêt et se dirige vers son véhicule. Il y parvient enfin quand son portable se met à sonner. Il déniche ses clefs dans la poche avant de son pantalon, sort son portable et déverrouille la portière pendant qu'il répond.

— Agent…

— Simon, Neumann cache ses victimes à Washington, pas à Chester Gap, hurle Jarvis qui fonce sur la route, les cheveux tout détrempés.

— À Washington, en pleine capitale ? répète Seward, sceptique.

— Non, pas Washington D. C. , le Washington en Virginie ! C'est à quelques kilomètres au sud de là où tu te trouves. Neumann possède une résidence d'été dans cette ville et, d'après Madame Darc, il possède aussi une immense terre qui longe le Parc national de Shenandoah à la hauteur de la petite localité de Washington.

— Quel con je suis ! Washington en Virginie, la ville que George Washington lui-même a fondée. Pour un mégalomane comme Neumann, cela va de soi. Mais comment se fait-il que les Renseignements ne t'aient pas informé de ça, hier ?

— Je n'en sais rien ! Elles ne sont peut-être pas enregistrées à son nom, mais on s'en occupera plus tard ! Je file au bureau ramasser une trousse de prélèvements. Madame Darc m'attend à la résidence d'été où je dois recueillir des échantillons de la petite fille. Je devrais y être aux alentours de vingt-deux heures trente…

— Où se trouve cette terre ?

— Je l'ignore. Je le lui ai demandé, mais elle n'était pas très chaude à me répondre. Tout ce qu'elle m'a dit, c'est qu'on pouvait y accéder par Hollow Road.

— Quoi ?

— C'est la route 622 ! Elle est composée de deux demi-cercles. Au nord, elle s'appelle Harris Hollow Road et au sud, Gidbrown Hollow Road.

Seward se dirige précipitamment vers le coffre arrière et y balance son sac-poubelle.

— Hé ! fais gaffe ! Neumann sera là ce soir. Madame Darc m'a raconté qu'il devait la rejoindre après son cours à l'université de Boston. Elle l'attend vers minuit. Il est vingt et une heures quinze. Cela nous donne un peu plus de deux heures trente pour découvrir son repaire avant qu'il ne débarque.

— Je vais longer les terres adjacentes au parc et fouiller le coin...

— Ne fais pas de conneries, Simon ! Je fais au plus vite avec la fillette et je te rejoins.

— O. K. !

Le policier s'assoit au volant de sa voiture en claquant la portière. Il lance son portable sur le siège passager, recule à vive allure et fonce vers la petite ville historique de Washington dans un nuage de poussière.

31

22 h 30, sur la route 622, aux abords du Parc national de Shenandoah…

À bord de sa voiture, Seward parcourt la route de long en large, à la recherche d'un indice quelconque qui pourrait lui fournir une piste. Il balaie l'accotement du faisceau de sa lampe de poche quand un cercle de feuillage aplati retient son attention. Il ralentit, mais ne relève rien d'intéressant.

— *Des jeunes ont dû venir s'amuser ici*, déduit-il.

Il poursuit son chemin sous la pleine lune qui enveloppe la cime des arbres d'un voile bleuté, quand un reflet lumineux sur sa droite attire son regard. Il freine, embraye en marche arrière et stoppe son véhicule à la hauteur du reflet. Il sort, s'avance vers le taillis qui borde la route et dégage les herbes. Une voiture y est camouflée. Le cœur battant, il constate qu'il s'agit d'une Caprice classique marine. Le policier s'élance vers l'arrière du véhicule et balaie fébrilement de la main la plaque d'immatriculation. Il n'en croit pas ses yeux : c'est celle de Neumann.

Il retourne à l'avant et pose sa main à plat sur le capot. Il est encore chaud. Il se redresse et cherche en vain un passage dans les bois. Puis il se rappelle le cercle de feuillage aplati qu'il a aperçu quelques instants auparavant. En deux temps, trois mouvements, il réintègre son véhicule, passe en marche arrière et recule à vive allure sur la petite route secondaire. À la hauteur du cercle suspect, il freine, sort en courant et inspecte minutieusement les lieux. Il s'enfonce quelque peu dans la forêt, mais rien ne laisse croire qu'un humain est passé par là. Il réintègre sa voiture et retourne vers celle de Neumann.

Croyant apercevoir une ouverture, il inspecte minutieusement les alentours, mais il réalise rapidement qu'il n'y a pas l'ombre du plus petit sentier. Il appuie doucement sur l'accélérateur en balayant la bordure de la route avec sa lampe de poche, à la recherche d'une entrée. Soudain, il entrevoit ce qui pourrait être un chemin. Il freine et discerne la trace de deux bandes parallèles de la largeur d'une petite voiture.

Mû par une décharge d'adrénaline, il s'engage dans les sillons, ses phares braqués vers la forêt. Cette fois, il découvre un sentier qui s'enfonce dans la végétation, trop étroit pour son véhicule. Il freine brusquement, coupe le contact, sort et fonce à travers les arbres. Sans même ralentir la cadence, il extirpe son revolver de son fourreau et allonge sa foulée en brandissant son arme à feu d'une main et sa lampe de poche de l'autre.

32

22 h 45, à la résidence d'Auguste Neumann à Washington, Virginie...

Jarvis arrive à la magnifique petite ville patrimoniale de Washington en Virginie. *La première de toutes* comme l'indique fièrement l'enseigne de marbre à l'entrée de la ville. *La première des 28 Washington des États-Unis, bornée par George Washington le 24 juillet 1749.* Elle gare sa voiture le long du trottoir, juste devant la résidence d'été de Neumann. Elle avance dans l'allée jusqu'à l'imposante porte ouvragée de la maison d'époque datant du XVIIIᵉ siècle, entièrement restaurée. Bien malgré elle, elle est intimidée. Elle s'apprête à sonner quand un berger allemand se met à aboyer. Jarvis sursaute et retire sa main avant même d'avoir touché le bouton de la sonnette. Elle se contente de fixer le gardien qui accourt vers elle en montrant les dents, bavant et aboyant à tout rompre. Le mâtin termine sa course contre un épais grillage de fer. Il colle son museau aux barreaux qui le séparent de sa proie toujours figée. Jarvis reprend son souffle en voyant l'énorme clôture qui la protège du cerbère au discours peu cordial. Elle se retourne et appuie avec insistance sur le bouton de la sonnette.

Le carillon résonne dans la splendide demeure. La porte s'ouvre sur une femme qui a l'air surpris de recevoir une visiteuse à une heure aussi tardive.

— Vous désirez ?

— Je suis l'agent spécial Nicole Jarvis. J'ai rendez-vous avec Madame Darc, explique la policière en brandissant sa plaque.

— Laissez Alice, c'est pour moi, interrompt Madame Darc qui surgit derrière la femme.

Cette dernière invite Jarvis à entrer et referme la porte avant de se diriger vers l'escalier qui mène à l'étage. Madame Darc s'avance et lui tend la main.

— Pardonnez-moi encore pour le dérangement que cela a dû vous causer.

— Ce n'est rien, répond Jarvis qui observe discrètement le décor.

— Si vous voulez bien me suivre. La petite est au sous-sol.

Madame Darc se dirige vers une porte qui donne sur un immense escalier en chêne ouvré. Elle se tourne vers Jarvis et l'invite à s'y engager. Mais la policière s'est immobilisée devant une porte entrebâillée. Elle fixe une fresque sur laquelle le regard monstrueux d'un colosse au corps velu l'a littéralement hypnotisée. Le personnage à la gueule béante, plus grand que nature, est en train de mordre dans la chair ensanglantée d'un cadavre déjà bien entamé. Glacée d'horreur, Jarvis n'a pas vu le geste de la directrice.

— Saturne, l'informe Madame Darc. Selon les exégètes romains, son nom provient du latin *Sata* qui signifie semence. Saturne est un très ancien dieu de la mythologie romaine. Il vivait dans le *Latium*, région du centre de l'Italie, où il fit fleurir la paix et l'abondance. On dit de lui qu'il est le maître de l'âge d'or primitif. Rome lui éleva un temple où l'on conserva le trésor public. Ce *Saturne* n'est pas l'original, je vous rassure. Mais c'est tout de même une reproduction quasi parfaite de l'œuvre de Goya qui se trouve au musée Del Prado, à Madrid.

— Goya ne personnifie pas ici Saturne à Rome, mais plutôt en Olympe, où il dévora sa propre progéniture quand on lui annonça qu'un de ses enfants lui ravirait son trône. Bien que certains le percevaient comme un bienfaiteur, Saturne n'en était pas moins un dieu cruel et un amateur de sacrifices humains. Vous savez, Madame Darc, je ne me qualifie pas d'experte en art, mais les *Peintures noires* de cet expressionniste du XIXᵉ siècle m'ont toujours fascinée, récite Jarvis pour lui damer le pion.

Madame Darc referme la porte du bureau de Neumann au nez de la policière. Puis elle l'invite de nouveau à passer devant elle. Jarvis obtempère, mais non sans hésiter. Madame Darc la suit et toutes deux descendent au sous-sol. Pour lui faire oublier ce qu'elle vient de voir, la directrice s'empresse de prendre la parole d'un ton amical.

Le *Saturne* de Goya

— Cette cave, si je puis dire, n'est pas d'origine et elle est autrement plus grande que la maison au-dessus. Il s'agit d'une excentricité de la part de Monsieur Neumann qui tenait à pouvoir y accueillir une vingtaine d'enfants dans des chambres individuelles. Vous savez, le confort des enfants a toujours été une priorité pour lui, la renseigne Madame Darc, saisissant l'occasion pour faire l'apologie de son patron.

Les deux femmes accèdent enfin à une immense pièce au plancher de bois verni et au plafond de cinq mètres de hauteur. Ses murs sont garnis de tableaux d'époque et un magnifique lustre coiffe la pièce. Madame Darc invite Jarvis à s'asseoir dans un fauteuil d'époque proche d'une table ronde semblant dater de la même période.

— Asseyez-vous, Mademoiselle je vous en prie, je vais chercher la petite. J'en ai pour un instant. Puis-je vous offrir quelque chose à boire ?

— Non merci.

La directrice traverse l'immense pièce, ouvre une double porte en bois et s'engage dans un petit couloir au bout duquel elle disparaît. Jarvis contemple la table d'époque, hésitant à l'utiliser. Elle choisit plutôt de déposer son sac à main et sa trousse de prélèvements sur le sol. Elle ouvre la trousse et sort des gants en latex qu'elle enfile. Elle saisit une pince à épiler, prépare les bâtonnets de ouate et des sacs en plastique transparent sur lesquels elle inscrit le nom de Julie Davis. Elle dispose soigneusement le tout sur le dessus de la trousse. Au bout de quelques minutes, Madame Darc réapparaît, tenant la petite Davis par la main.

— Julie, je te présente l'agent spécial Nicole Jarvis, du FBI. Elle va te faire quelques prélèvements.

Jarvis se lève.

— Bonjour Julie, tu veux bien t'asseoir ici?

La fillette en chemise de nuit et pantoufles rose bonbon s'assoit et la policière s'agenouille devant elle.

— Ça ne te fera pas mal, tu vas voir. Il faut que tu ouvres grand la bouche.

Julie obéit de bonne grâce. Jarvis frotte l'intérieur de sa joue avec un coton-tige. La petite éclate de rire. Jarvis lui sourit.

— Ça chatouille. Je sais... Il ne me reste qu'à prélever un ou deux de tes cheveux.

Jarvis prend ses pinces et penche doucement la tête de l'enfant vers l'avant. Elle soulève une mèche derrière la nuque, pince un cheveu et le tire d'un coup. Julie frissonne.

— Je t'ai fait mal, excuse-moi.

Jarvis examine le bulbe de la racine du cheveu, puis répète la manœuvre.

— Et voilà. C'est fini.

Jarvis sort un petit ourson de sa trousse.

— Tiens, c'est pour toi.

La fillette se tourne vers Madame Darc.

— Tu peux le prendre, Julie, tu as été très courageuse. N'oublie pas de dire merci.

L'enfant s'empare de la peluche avec un plaisir évident.

— Merci, dit-elle d'une petite voix flûtée.

— Tu peux retourner dans ton lit, maintenant, l'invite Madame Darc avant de l'embrasser sur la joue.

La petite fille passe ses bras autour de son cou, lui rend son baiser et repart en courant vers sa chambre. Pressée de rejoindre Seward, Jarvis remballe aussitôt son attirail. Puis elle présente nerveusement à la directrice un stylo et un document.

— Si vous voulez bien inscrire la date ici et signer pour certifier que j'ai recueilli ces échantillons de Julie en votre présence…

Madame Darc signe sans hésiter, remet le tout à Jarvis et les deux femmes se dirigent vers la sortie sans échanger un mot. Parvenue sur le pas de la porte, Jarvis se retourne. Maintenant qu'elle a bien en poche les prélèvements et la signature qu'elle est venue chercher, elle décide de profiter de l'occasion pour tenter d'évaluer le degré d'implication de Madame Darc dans les activités de Neumann.

— Êtes-vous la petite amie de Monsieur Neumann ? demande-t-elle brutalement.

— Cela ne vous regarde en rien, répond sèchement Madame Darc.

— Très bien. Alors, expliquez-moi pourquoi vous avez vécu une lune de miel de deux semaines avec lui cet été à Monaco ?

La directrice est prise d'un fou rire.

— Pardonnez-moi, dit-elle en s'essuyant les yeux. Vous êtes très mal informée, Mademoiselle. Si vous aviez pris la peine de bien faire votre travail, vous auriez su que nous étions accompagnés de huit de nos jeunes pensionnaires.

— Ah oui ! Et qu'y faisiez-vous ?

— N'avez-vous jamais été jeune ?… Toutes les jeunes filles du monde rêvent un jour au prince charmant.

Les orphelines ne font pas exception à cette règle. Nous essayons d'offrir à nos protégés des expériences éducatives variées. Monaco est une principauté et j'ai pensé qu'il serait fort agréable et enrichissant pour elles de voir de leurs propres yeux un vrai palais princier. C'est moi-même qui ai porté cette proposition à l'attention du conseil d'administration. Monsieur Neumann a tout de suite trouvé la thématique intéressante et l'objectif fort louable.

Jarvis ne s'attendait pas à une telle issue et reste muette.

— Vous ne semblez pas trop nous porter dans votre cœur au FBI, remarque Madame Darc, intriguée du tour qu'a pris la conversation.

— Nous menons une enquête pour meurtres, et voir un enfant dont la mère a été assassinée n'est pas tout à fait une occasion de réjouissance, du moins pas pour nous, lui répond Jarvis, les dents serrées.

Les deux femmes se toisent un instant. Enfin, Madame Darc brise le silence.

— Hier encore, nous avons recueilli deux nouveaux orphelins qui viennent de subir ce drame. La petite fille accepte de nous parler, mais que sur des sujets plus qu'élémentaires. En revanche, son frère se colle à elle et ne nous a pas encore adressé un seul mot... Le laisser pleurer lui fait le plus grand bien, mais je ne crois pas qu'à son âge, pleurer sur son sort et sur celui de sa mère qui se prostituait lui serait d'un grand secours.

— Oh! je vois! Lui raconter que sa mère ne méritait pas d'avoir de si beaux enfants, car elle n'était qu'une moins que rien, une traînée qui les maltraitait... non, en effet, je ne crois pas que cela l'aiderait.

— Mais où allez-vous chercher que ces enfants avaient été maltraités ? Il n'en est rien. De plus, vous ne me semblez pas très au fait de la psychologie féminine en matière de prostitution, agent Jarvis. Vous commettez une grave erreur en mettant toutes ces filles dans le même panier. L'une d'elles m'a raconté qu'un jour, alors qu'elle n'avait que quatre ans, son père, qui était fermier, l'a forcée à le suivre dans la grange pour qu'elle lui fasse une fellation. Comprenant instinctivement que cela n'était pas normal, la fillette refusa de s'exécuter. Son père la menaça alors d'éviscérer son lapin préféré devant ses yeux si elle ne lui obéissait pas... ce qu'il fit. Le père, si l'on peut le qualifier ainsi, recommença ce petit manège jusqu'à ce qu'elle atteigne ses douze ans, âge où elle préféra offrir ses services dans la rue, là où l'on ne tue pas les animaux qu'elle aime, là où on la paye et là où le client n'est pas son propre père... bien que, d'après moi, ils ne valent guère mieux. Alors, vous voyez, avant de traiter de tous les noms une fille qui gagne sa vie à se faire exploiter au coin des rues, je crois que vous auriez intérêt à vous demander comment elle en est arrivée là, riposte avec fureur Madame Darc en ouvrant tout grand la porte, sommant ainsi son invitée de quitter les lieux.

Jarvis est sous le choc. Elle ne s'attendait pas à ce que Madame Darc prenne la défense de la défunte travailleuse du sexe. Elle franchit le seuil de la porte en silence. En apercevant la policière, le chien, qui semblait avoir attendu impatiemment sa sortie, se remet à aboyer de plus belle. Madame Darc s'apprête à claquer la porte quand Jarvis, encore déboussolée, reprend quelque peu ses esprits.

— Attendez, excusez-moi! C'est important, je vous en prie, Madame Darc, implore la policière qui a perdu son arrogance.

La directrice arrête son élan et mesure la sincérité de Jarvis.

— Il faudrait que je rencontre Monsieur Neumann dès son arrivée. Il n'aura qu'à me téléphoner. Je sais que vous ne l'attendez pas avant minuit, mais je serai dans le coin une bonne partie de la nuit, supplie poliment Jarvis, qui ne sait plus trop sur quel pied danser.

— Mais il est déjà arrivé.

— Ah oui? Mais… puis-je le rencontrer? C'est très important, permettez-moi d'insister.

Madame Darc l'observe un moment.

— Malheureusement, il n'est plus ici. Une vingtaine de minutes avant votre arrivée, Monsieur Neumann est sorti prendre l'air.

— Où est-il allé? demande Jarvis, le cœur battant.

— Je ne sais pas.

— S'il vous plaît, c'est très important.

Madame Darc pousse un long soupir, puis décide de l'aider.

— Il est parti en voiture faire une balade sur sa nouvelle terre, à quelques minutes d'ici.

— Pourquoi n'a-t-il pas emmené son chien? questionne Jarvis en haussant le ton pour couvrir les jappements du molosse.

— Parce qu'il s'est blessé à une patte. C'est d'ailleurs pour ça qu'il est de si mauvais poil. Le vétérinaire a recommandé d'éviter de le faire marcher jusqu'à demain et…

— … vous avez dit une nouvelle terre ?

— Oui, il a l'a achetée il y a deux ou trois semaines. Je crois que la transaction n'est même pas encore enregistrée. Comme je vous l'ai dit tout à l'heure au téléphone, je ne sais pas à quoi elle ressemble mais, à ce que j'en sais, elle n'est pas d'une grande valeur. Il n'y a pas même un seul bâtiment dessus. Monsieur Neumann a dû courir au Texas pour y rejoindre la propriétaire, une femme qui avait hérité ce lot depuis une bonne trentaine d'années. Elle n'y a jamais mis les pieds. Elle ne savait même pas où il était situé quand elle l'a vendu. D'ailleurs, je crois qu'elle ne le sait toujours pas, car elle a refusé de s'y rendre quand est venu le temps de signer les papiers de vente. Au reste, je ne sais pas pourquoi Monsieur Neumann s'en est porté acquéreur, remarque la directrice.

— Vous n'en avez aucune idée ?

— Non. Peut-être veut-il construire un camp pour les enfants… mais je ne crois pas. Il possède déjà une propriété à Chester Gap. Alors, je ne sais pas. Il m'a juste dit, il y a à peu près un mois, qu'il voulait l'acheter parce que son chien l'y avait conduit, et c'est tout, raconte naïvement Madame Darc. Monsieur Neumann a des chiens depuis qu'il est tout petit, ajoute-t-elle, comme si elle voulait trouver une justification logique au fait que son patron se soit fié à son chien pour cet achat.

— Vous dites qu'il aurait acheté cette terre parce que son chien l'y aurait amené ? s'écrie Jarvis en pâlissant.

— Oui, je n'y vois aucune autre raison, je vous le répète. Je me rappelle seulement qu'il était très excité le matin où il a décidé de l'acquérir. Il venait de courir avec son chien dans le parc et, en entrant, il a tout de suite sauté sur le téléphone sans prendre le temps d'enlever son survêtement pour savoir à qui appartenait ce lopin. Moins d'une semaine plus tard, il en devint propriétaire.

— C'est pas vrai ! Un chien pisteur ! Il a découvert le charnier. C'est pour ça qu'il a fait l'acquisition du lot ! s'exclame Jarvis qui ne peut s'empêcher de raisonner à haute voix.

— Quoi ? Qu'est-ce que vous dites ?

— Est-ce que Monsieur Neumann a un téléphone portable sur lui ? demande Jarvis en fourrageant dans son sac à main.

— Oui, bien sûr, répond Madame Darc qui, prise de doute, jette un coup d'œil dans le hall d'entrée.

— Appelez-le !

— Non, il ne l'a pas sur lui, il est là sur la table d'entrée. C'est vrai qu'il ne le prend pas souvent quand il va se promener dans la forêt.

— Dans quelle sorte de voiture est-il parti ? demande Jarvis en filant vers sa voiture tout en composant le numéro de Seward.

— Une Caprice classique marine ! crie la directrice pendant que Jarvis ouvre sa portière.

Cette dernière expédie son matériel sur la banquette arrière et démarre en trombe. Le téléphone de Seward sonne en vain.

— Bordel de merde, réponds, Simon ! Réponds ! hurle Jarvis qui fonce sur la route en craignant le pire.

Mais dans sa hâte, Seward a laissé son portable dans la voiture, là où il l'a lancé après avoir parlé avec Jarvis en quittant Chester Gap.

*
* *

Pendant ce temps, Seward cherche toujours une piste dans le noir lorsqu'il distingue un espace ouvert sur sa gauche. Il bifurque dans cette nouvelle direction et découvre un petit sentier à peine perceptible. Se laissant davantage guider par son instinct que par la topographie, il s'élance dans l'étroit passage, quittant ainsi le chemin de départ. Il dépasse sans le voir le petit cabriolet kaki qui est enfoui dans les bois, à quelques mètres à peine sur sa gauche. Il court à travers les broussailles quand, essoufflé, il commence à prendre conscience qu'il s'est enfoncé profondément dans la forêt. Soudain, son sentier ne lui semble plus tellement en être un. Il constate alors qu'il est seul et bien loin de sa voiture. Un mauvais pressentiment l'envahit. Il s'arrête, éteint sa lampe de poche, s'accroupit et reprend son souffle en tâtant fébrilement ses poches. Il revoit en pensée son portable sur le siège de sa voiture et se redresse brusquement.

— Merde !

Au son de sa voix, il sursaute et réalise qu'il doit faire attention, car sa présence est facilement repérable dans le silence nocturne de la forêt. Au beau milieu de nulle part, il est partagé entre le besoin de regagner sa voiture et le désir de poursuivre sa recherche, car son instinct lui dit qu'il est tout près du but.

— *Tant pis. Il est trop tard pour faire marche arrière,* pense-t-il.

Reprenant courage, Seward s'étire et aperçoit une éclaircie, peut-être la fin de la forêt ou une clairière, espère-t-il en silence. Mais la route est encore longue pour y parvenir. Il décide de poursuivre son avancée le plus silencieusement possible, sous le seul éclairage de la lune.

33

Au même moment, dans la prison souterraine...

Transie, Laura est éclairée par la seule lumière de la lanterne qui balance au-dessus de sa tête. Elle scrute désespérément l'espace sur sa gauche, tentant d'y trouver son salut, mais le fond du repaire est plongé dans le noir le plus total. Elle ne peut qu'entrevoir une partie d'un monticule de revues pornographiques et de catalogues d'armes qui jonchent le sol. Un cliquetis d'objets métalliques qui se heurtent attire son attention. Affolée, elle reconnaît le bruit d'une lame qu'on aiguise sur une pierre. Bien qu'elle soit incapable de discerner ce qui se trame dans les profondeurs de la cave sordide, c'en est trop pour elle. Ses nerfs craquent. Elle ferme les yeux et fond en larmes en pensant à ce que son ravisseur s'apprête à lui faire subir. Épuisée, elle est tentée de s'abandonner à son triste sort, mais elle se ressaisit. Elle se dit que, pour s'en sortir vivante, il vaudrait mieux qu'elle se calme et reste aux aguets. Elle essaie de se remémorer les émissions, films et interviews qu'elle a pu entendre sur les psychopathes.

— *Il faut que je lui parle, que je lui dise mon nom afin d'établir un contact affectif avec lui. Il faut qu'il me considère comme un être humain semblable à lui. Mais comment y parvenir avec du ruban collé sur la bouche ?* se dit-elle.

C'est alors qu'une idée lui traverse l'esprit. Elle vérifie sur son pubis, qu'elle garde complètement rasé, si l'on peut toujours y lire clairement son nom, *Laura,* qu'elle a fait tatouer à l'intérieur d'un cœur rouge dont la pointe finit au sommet de son sexe. Rassurée, elle reprend un peu espoir. Elle bouge sa mâchoire dans tous les sens pour tenter de dégager sa bouche. Elle travaille ferme quand, soudain, elle reconnaît un bruit de pelle qui fend la terre, puis un deuxième et un troisième. Effrayée, la prisonnière arrête de gigoter et concentre toute son attention sur les sons qui émergent du fond de la grotte.

— *Il creuse un trou*, comprend-elle.

Submergée par l'horreur, elle s'effondre et imagine son ravisseur la torturer et la découper en morceaux avant de l'enterrer au fin fond de cette cave immonde. Sa raison vacille et le peu de contrôle qu'elle avait su garder jusqu'ici fait place à une terreur sans bornes. En larmes, elle se met à se débattre violemment en poussant des hurlements qui sont étouffés par le cruel ruban adhésif.

Au bout d'un moment, les coups de pelle arrêtent. Laura s'immobilise. Elle perçoit alors le son d'un objet qu'on traîne, puis ceux d'une fermeture à glissière et d'un plastique épais qu'on manipule. Une forte odeur de chair en décomposition envahit soudainement ses narines. Pour ajouter à l'horreur, le bruit d'une hache qui frappe à répétition dans une matière qu'elle devine lui soulève le cœur. Elle a peine à retenir les violents spasmes abdominaux qui projettent sa tête vers l'avant. Le bruit sourd d'un objet qui tombe sur le sol lui laisse espérer que cette symphonie macabre s'achève. Mais elle reprend de plus belle. Cette fois, elle comprend que la pelle déplace de la terre meuble. Enfin, le son étouffé de l'outil qui aplanit la terre vient clôturer la trame sonore du scénario qui se joue dans la pénombre des profondeurs de la cache, bien à l'abri des regards. La pauvre Laura ferme les paupières avant d'éclater en sanglots.

Soudain, une ombre se dessine aux confins du cachot souterrain et se dirige lentement vers elle. Un homme émerge bientôt de l'obscurité. Il marche nonchalamment et s'arrête à quelques mètres de la prisonnière. Seul son visage est légèrement éclairé. L'homme contemple paisiblement sa prise avant de s'approcher d'elle. Laura garde toujours les paupières fermées sur les larmes qui sillonnent ses joues, nullement consciente de sa proximité. Le geôlier avance lentement sa main vers ses cheveux qu'il s'apprête à caresser, quand Laura rouvre subitement les yeux. Surpris, l'homme suspend son geste. Laura reconnaît immédiatement le faux policier qui l'a droguée la veille, puis traînée en ces lieux. Elle a l'impression de se vider de tout son sang, sa vision s'obscurcit et sa sensibilité auditive s'engourdit. Elle n'arrive plus à respirer et son cœur palpite dans sa poitrine. Son corps se glace, ses jambes s'amollissent, tous ses muscles se relâchent et elle laisse échapper trois gouttes d'urine sans même s'en rendre compte. Dans un effort surhumain, elle surmonte sa crainte et tente d'établir un contact visuel avec l'homme qui sort enfin de l'ombre. La jeune femme constate qu'il se tient entièrement nu à quelques centimètres d'elle, une faucille fraîchement aiguisée à la main. Prise de panique, elle referme les yeux. Elle a beau savoir qu'elle doit cacher sa peur et soutenir le regard de son bourreau, ses paupières restent closes.

— Salut, lui susurre son hôte.

Laura contracte involontairement tous les muscles de son visage. L'homme, amusé, laisse échapper un petit rire.

— Surtout, n'aie pas peur, on est ici pour faire la fête, dit-il doucement en tentant de rassurer sa prisonnière. Tu veux faire la fête avec nous ?

Terrorisée, Laura ne bronche pas. Soudain, un torrent de larmes jaillit de ses yeux gonflés et creuse son lit le long de ses joues, traverse le ruban qui recouvre ses lèvres bleuies et termine sa course au bout de son menton qui tremble.

— On va beaucoup s'amuser. Tu aimes ça, t'amuser ? questionne l'homme en s'approchant si près de Laura qu'elle peut sentir son haleine fétide.

Émoustillé par son pouvoir, le ravisseur hume le parfum de ses cheveux en prenant bien soin de ne pas la toucher. Il entreprend une lente descente le long de son corps et plonge le nez au creux de son cou, s'enivrant un moment de son odeur. Puis il glisse sur son sein gauche et encercle de ses lèvres l'aréole de son sein, en gardant longuement la pose. Laura sent subitement la chaleur de son souffle sur sa poitrine. Craignant qu'il ne la morde, elle retient sa respiration et reste immobile. Enfin, l'homme poursuit sa descente le long de son abdomen, passe sur son nombril, arrive à la hauteur de son bassin et s'arrête à la vulve, les yeux rivés sur le nom tatoué. Laura sait qu'elle doit tenter quelque chose pour attirer son attention. Elle ouvre les yeux et colle ses fesses contre le mur de terre glacial, essayant de s'éloigner le plus possible du visage de son bourreau pour éviter qu'il ne la touche. L'homme longe la cuisse, suit la jambe jusqu'au pied gauche et baise tendrement le sol là où ses orteils prennent appui. Il se relève, fait un pas en arrière et contemple le corps de la jeune femme, rempli d'admiration pour lui-même d'avoir capturé une si belle prise.

— On va vraiment s'amuser tous ensemble, annonce-t-il gaiement avant de déposer la faucille sur l'établi derrière lui, à côté de tenailles.

Il attrape un rouleau de ruban de coton qu'il enroule autour de sa main droite. Il presse le bandage avec la gauche pour s'assurer qu'il est suffisamment serré et recommence tant bien que mal la manœuvre avec la seconde main. Ainsi ganté, il revient vers Laura et entame une série de rotations et d'étirements avec son cou, puis roule ses épaules. Tel le boxeur qui s'échauffe avant un combat, il se met à sautiller sur place.

— Tu es le meilleur ! Tu es le meilleur ! Tu es le meilleur !

Revigoré par cette séance de conditionnement, il prend quelques bonnes respirations et se rapproche de sa prisonnière. Il la regarde un instant et gonfle sa poitrine.

— Tu es capable ! Tu es capable ! Tu es capable ! chantonne-t-il en se frappant les poings dans le creux de ses mains, rempli d'espoir.

Devant cette démonstration exaltée, Laura est littéralement pétrifiée. Bien qu'elle comprenne qu'il ne tardera pas à s'en prendre à elle, elle attend docilement la suite, le corps tétanisé entre les chaînes. L'homme l'examine de la tête aux pieds, puis jette un regard à son entrejambe.

— Merde ! s'écrie-t-il en tapant du pied.

Il se couche sur le dos et exécute en grognant une série de redressements assis. Laura sait que cette trêve ne durera pas. Elle tente tant bien que mal de se concentrer pour trouver une façon d'échapper aux griffes du tortionnaire. Mais ses options restent limitées. Son geôlier se redresse d'un bond, à peine essoufflé et s'avance de nouveau vers elle, plus déterminé que jamais. De ses deux index, Laura pointe alors le nom tatoué sur son mont de Vénus. Surpris, l'homme s'arrête devant sa prisonnière. Il sourit en se délectant des mouvements du corps entravé de la jeune femme en détresse et avance encore d'un pas. Laura donne un coup de bassin en sa direction. L'homme s'arrête de nouveau. Cette fois, il s'attarde sur sa vulve.

— Tu veux qu'on touche à ta fente ? T'en veux autant que nous ? Ça t'excite ! Tu nous désires ? Tu vas voir, nous allons te gâter, lance-t-il en tendant sa main droite directement vers le sexe de la détenue, nullement surpris par ce qu'il croit être une invite.

Laura secoue vivement la tête de droite à gauche en rugissant. Surpris, son bourreau interrompt son geste à quelques centimètres de son corps et recule d'un pas. Laura arrête de secouer la tête et pointe de nouveau son nom en avançant son bassin vers son geôlier. Ce dernier regarde le sexe de sa victime, puis monte les yeux vers le pubis et fixe le mignon petit cœur rouge tatoué.

— L a u r a, épelle-t-il machinalement d'une voix désincarnée.

Envahie par une joie intense, Laura laisse retomber son bassin et fait signe que oui de la tête, se réjouissant un bref moment avant de fondre en larmes. L'homme lève alors les yeux vers son visage.

— Tu veux qu'on t'appelle Laura en te baisant, c'est ça ? exulte-t-il dans un grand éclat de rire, en sautillant et en frappant des mains.

Soudain, il sent une vive poussée qui fait gonfler son sexe. Il s'immobilise et le fixe, mais le membre s'est déjà relâché.

— Il a réagi ! Tu as vu ça ? Tu as vu ça ? Tu l'as fait réagir ! Monsieur le président vient de s'enfler la tête ! dit-il en contemplant avec adoration l'organe pourtant redevenu flasque. Je l'ai vraiment senti. C'est un dur de dur celui-là ! se glorifie le bourreau tout sourire, en tentant de convaincre Laura de sa grande puissance phallique.

Il l'observe un moment, puis regarde à gauche et à droite. Sur un coup de tête, il déroule vivement les bandages autour de ses mains et les jette au sol. Puis il s'avance lentement, attrape Laura par les cheveux, lui cale la tête contre le mur et colle sa bouche contre son oreille.

— Tu crois que vous êtes fait l'un pour l'autre? questionne-t-il fiévreusement. Tu en as jamais vu un dur comme ça?... Tu as hâte qu'on te prenne?... Tu rêves d'être à lui, n'est-ce pas? Tu es vraiment assez bonne pour qu'il fasse de toi une *première dame*? Tu en es vraiment sûre?... Alors montre! Montre-nous ce que tu sais faire!... Ne nous déçois pas et tu ne seras pas déçue, chuchote-t-il en pointant Laura du doigt avant de reculer lentement pour l'observer.

Laura sanglote. Perplexe, l'homme la regarde. Il croise ses bras et incline légèrement la tête vers la gauche, puis la redresse, les yeux injectés de sang.

— Ferme-la! Arrête de brailler! Vous êtes toutes les mêmes!... L'autre jour, j'en ai détaché une... attends, comment elle s'appelait?... Christina! Oui, c'est ça Christina. Elle m'a dit qu'elle me trouvait sexy et que, si elle me prenait entre ses mains, elle ferait de moi l'homme le plus puissant du monde, bla-bla-bla... Je lui ai fait confiance et je lui ai enlevé ses chaînes. Elle était là, à genoux devant moi. Et au moment où j'ai fermé les yeux, pas même cinq secondes, elle m'a foutu un coup de pelle sur la tête, juste là, et elle a filé! Je suis resté évanoui sur le sol comme un chien pendant plus d'une heure. J'aurais pu crever! Alors, n'essaie pas de me prendre pour un débile!

L'enragé se mord la main en faisant les cent pas devant Laura. Il reprend enfin son calme et poursuit.

— On y va maintenant. Tu n'as pas intérêt à me décevoir! lance-t-il, le corps tendu en avançant lentement ses mains en direction des seins de Laura.

Il attrape doucement ses mamelons et les fait rouler entre ses pouces et ses index. Laura prend une longue inspiration. Son ventre est secoué de spasmes nerveux.

— Tu aimes ça te faire pincer le bout des tétines? s'amuse-t-il aux dépens de la captive dont le corps réagit bien malgré elle. Oui, ils aiment ça, eux aussi. Je les sens bien. Ils sont bien durs et bien chauds entre mes doigts. Je les sens pleins de désir. Tu ne peux rien me cacher. Tu vois, on est fait l'un pour l'autre... Fais-nous monter maintenant, c'est à notre tour. Montre-nous que tu sais faire plaisir à un homme, un vrai, exige-t-il en jetant un coup d'œil à son sexe qui reste amorphe.

Il pince alors plus fort les mamelons de sa victime.

— Allez, vas-y! Vas-y! Montre-nous!

L'organe ne réagit toujours pas.

— Qu'est-ce que tu attends, vas-y! s'énerve-t-il en postillonnant au visage de sa victime. Tu ne veux pas nous faire du bien... c'est ça?

Il écrase l'extrémité des seins entre ses doigts et se met à les secouer de haut en bas en observant son entrejambe, mais toujours rien. Laura se tord de douleur.

— Fais-moi jouir! Fais-moi jouir, salope!

Furieux, le tortionnaire relâche brusquement sa prise et recule en trépignant de rage.

— Qu'est-ce qui ne va pas chez toi? Tu ne sais pas comment satisfaire un homme? Tu es une saleté de gouine? C'est ça?... Je croyais que ça aurait pu être différent, mais tu es bien comme toutes les autres! Regarde-moi quand je te parle, salope! hurle-t-il, l'écume à la bouche avant de gifler Laura du revers de la main.

Mais la pauvre Laura est incapable de la regarder. Il se retourne vers l'établi, s'empare de la faucille et des tenailles, et revient vers elle en les balançant de chaque côté de ses hanches.

— Alors, ça vient? Tu vas me regarder, salope! aboie-t-il totalement déchaîné, le visage collé sur celui de sa proie.

Laura sursaute et lève enfin les yeux sur l'homme qui tient fermement les deux instruments de torture, l'un bien rouillé et l'autre affûté comme une lame de rasoir. Avec la jambe qu'elle a décrochée du mur un peu plus tôt, elle lui assène un violent coup de pied entre les cuisses. Certain que sa victime était entièrement à sa merci, le psychopathe n'a pas vu venir le coup et ne peut se protéger du genou qui écrase ses testicules contre l'os de son bassin. Le bourreau plie en deux en grimaçant et laisse tomber les tenailles. Fou de rage, il se redresse aussitôt et s'élance tant bien que mal en brandissant sa faucille pour trancher le sein de son assaillante, mais une douleur paralysante irradie dans tout son corps. Engourdi par la souffrance, il effleure à peine le bout d'un des mamelons de Laura, qui sent le froid de la lame. L'arme tranchante vient finir sa course contre le front de son propriétaire, traçant une coupure de plus de six centimètres. Ce dernier lâche son effroyable instrument et fait une chute magistrale sur le dos, les deux mains entre ses jambes, en gémissant et en se roulant sur le sol. Laura se débat furieusement pour se défaire de ses liens. Elle tire si fort sur son bras droit que la chaîne lui entaille le poignet. Le sang se met à couler le long de son bras, mais, envahie par l'adrénaline, elle ne sent même plus la douleur. Elle tire de toutes ses forces, le corps penché vers l'avant, en s'aidant de tout son poids... Le bois se fend.

*
* *

Sur la route 622...

Jarvis roule à toute vitesse, à la recherche de Seward. Elle a allumé ses feux de route et inspecte distraitement la lisière de la forêt sur sa droite. Soudain, elle freine et rétrograde en marche arrière.

Elle vient d'entrevoir la voiture du FBI. Elle fonce dans le sentier et s'arrête juste derrière. Elle sort en toute hâte et tente d'ouvrir la portière côté chauffeur, mais celle-ci est verrouillée. Le plafonnier à déclenchement automatique s'est allumé et Jarvis aperçoit le téléphone portable de Seward. Elle s'ouvre un chemin à travers les hautes herbes jusqu'à l'autre portière dont la fenêtre est baissée. Elle introduit son bras dans l'ouverture et s'empare du portable, puis jette un coup d'œil sous le volant. Les clefs n'y sont pas.

Sans plus s'attarder, elle retourne à sa voiture, coupe le contact, jette le portable sur le siège et ramasse une lampe de poche dans la boîte à gants. Puis elle s'engage au pas de course dans le sentier. Après quelques foulées, elle prend conscience de la profondeur de la forêt. La route semble sans fin. Elle frappe du pied. Elle doit prendre une décision, et vite. Elle revient vers la voiture de son collègue et constate qu'elle obstrue presque la moitié du passage, qui est déjà très étroit. Elle décide de continuer à pied. Elle s'élance dans le sentier lorsque le bout de sa chaussure heurte un objet. Elle perd pied et tombe. À son genou gauche, du sang traverse la déchirure de son bas nylon.

En se relevant, elle aperçoit un morceau de bois qui sort de terre. Elle agrippe le bois humide, se campe solidement sur ses deux pieds, cambre les reins et extirpe l'objet. Il s'agit d'une pancarte en contreplaqué. La terre qui la recouvrait s'affaisse et les bestioles affolées, privées de leur abri, s'y enfouissent à la vitesse de l'éclair. Imbibée d'eau, la pancarte a commencé à se décomposer. D'un geste rageur, Jarvis se prépare à jeter au loin l'objet qui l'a blessée, mais la surface orange attire son attention. La planche est recouverte d'une peinture délavée orange sur laquelle est inscrit en lettres noires le mot PRIVÉ orné de longues coulées qui s'étirent sous le P et le V.

— Nom de Dieu !

La policière regagne sa voiture, embraye et appuie de toutes ses forces sur l'accélérateur. Ses pneus font deux tours sur eux-mêmes avant de s'agripper au sol et de projeter la petite décapotable qui termine sa course dans le pare-chocs arrière de la voiture de Seward. Dans son énervement, elle a confondu la marche arrière avec l'avant. Mais comme les deux voitures n'étaient qu'à cinquante centimètres l'une de l'autre, il n'y a pas de dommage. Jarvis est juste un peu secouée.

— C'est pas vrai ! s'écrie-t-elle furieuse, en reprenant le levier de vitesse.

Elle embraye de nouveau, en marche arrière cette fois, et écrase l'accélérateur au plancher. La voiture recule à fond de train sur deux mètres. Puis Jarvis se met en marche avant et accélère. Mais le passage n'est pas plus large qu'il y a deux minutes et elle n'a d'autres choix que de serrer la voiture de Seward si elle ne veut pas heurter les arbres qui se trouvent sur sa gauche. Le frottement de la tôle émet un bruit de craie qui grince sur un tableau noir et le rétroviseur de la grosse américaine saute contre le cadre du pare-brise de la petite décapotable. Jarvis tente tant bien que mal de limiter les dégâts, mais un énorme chêne, qui n'a manifestement pas l'intention de céder la place qu'il occupe depuis une bonne centaine d'années, retient sa voiture par son rétroviseur qui refuse de plier. Entêtée, la policière maintient son pied sur l'accélérateur. Dans un bruit de pneus en furie, le fer n'a d'autre choix que de se tordre et la décapotable se libère enfin.

Jarvis roule sur l'écriteau et file à travers bois. Les branches égratignent la carrosserie et la voiture cahote dangereusement, passant successivement des nids-de-poule aux pierres surélevées avec des bruits plus inquiétants les uns que les autres. Elle dévore les kilomètres sans trop savoir où cela va la mener. Elle négocie une courbe quand ses phares éclairent un écureuil qui semble se déplacer sur la cime des hautes herbes. Jarvis le dépasse sans trop y prendre garde, puis freine brusquement.

— Merde ! Qu'est-ce que c'est ?

Elle coupe le contact, ramasse sa lampe de poche et sort de sa voiture en courant vers l'endroit où elle a vu l'animal. Soudain apparaît la silhouette d'un cabriolet kaki bien enfoui sous des branchages. Elle retire son arme de son étui et pénètre lentement dans les broussailles en direction de la petite voiture. Elle constate bien vite qu'elle est vide. Elle dégage quelques branches, inspecte l'intérieur du véhicule, puis jette un coup d'œil sur l'état des pneus et l'allure de la carrosserie. Seules des petites traces de pas sur le toit témoignent d'une forme de vie dans le secteur. Jarvis comprend cependant que cette voiture n'est pas une épave abandonnée. Sans plus s'attarder, elle commence à battre en retraite vers sa voiture, lorsqu'elle entend un bruit sur sa gauche. Elle se place en position de tir.

— Qui va là ?

Apeuré, le petit rongeur prend la poudre d'escampette à travers les herbes. Au bout de quelques secondes, le pauvre animal saute sur l'écorce d'un pin et grimpe en courant autour du tronc. Jarvis réalise qu'il s'est enfui par un sentier qui, étrangement, ne se trouve qu'à quelques mètres à peine de la voiture camouflée. Elle s'engage dans l'étroit passage.

*

* *

Dans les entrailles de l'antre du psychopathe...

Pendant que son bourreau se roule toujours sur le sol en râlant, les mains entre les jambes, Laura réussit dans un ultime effort à faire sortir de sa charnière la chaîne qui entravait son bras droit. À l'aide de sa main libre, elle tire de toutes ses forces son bras gauche pour tenter de le dégager. Inquiète, elle surveille sans cesse du coin de l'œil l'homme qui se tortille, obnubilé par sa douleur à l'entrejambe. Le bois commence à se fendre. Laura trépigne à la fois de peur et de joie.

Elle se place face au mur, y pose son pied droit bien à plat et se laisse tomber vers l'arrière, s'aidant de tout son poids pour libérer la chaîne qui retient son poignet gauche. La planche décolle légèrement du mur, mais la chaîne y demeure toujours bien fixée. Elle redouble d'ardeur pendant que, derrière elle, son geôlier s'appuie péniblement sur un coude et se retourne sur les genoux. Il réussit enfin à se relever. Entièrement concentrée sur sa tâche, Laura ne l'a pas vu et tire toujours comme une forcenée sur sa chaîne. Soudain, elle reçoit un formidable crochet du gauche dans les reins, puis un deuxième et un troisième.

— Tu vas me payer ça, salope ! hurle l'homme meurtri, qui se sent trahi encore une fois.

Laura tombe dès le premier coup et glisse le long du mur. Son bourreau l'écrase contre le mur et lui

assène de puissants coups de poing sur tout le corps.
Puis il lui empoigne les cheveux et continue de lui
marteler violemment le dos. La jeune femme perd
connaissance, mais le bourreau ne s'arrête pas de frapper pour autant et enfonce à répétition son poing dans
sa chair.

— Là, tu prends ton pied, salope ? Tu aimes ça ?
Vous êtes toutes pareilles !

Laura est maintenant suspendue par le bras gauche,
uniquement retenu par le bracelet de fer. La pauvre fille
s'est affalée sur ses jambes repliées et son corps inerte
est secoué à chaque coup de poing.

— Vous êtes toutes les mêmes ! Vous ne pensez qu'à
vous !

Essoufflé et au bord de l'épuisement, il se retourne
et se met à sautiller sur place, les deux bras au ciel. Puis
il martèle l'air de ses poings comme le boxeur fier de
sa victoire. Il retrouve le sourire, mais son triomphe est
brutalement interrompu par une douleur lancinante aux
organes génitaux qui le force à courber l'échine devant
son opposante K. -O.

— Merde... j'ai mal, j'ai mal ! gémit-il en
s'agenouillant.

*
* *

Arme au poing, Seward avance encore de quelques enjambées dans le noir et aboutit finalement à
une petite clairière. Il progresse à pas de loup vers un
énorme talus. Une étrange sensation s'empare de lui

au fur et à mesure qu'il s'en approche. Il a le sentiment d'avoir enfin trouvé le repaire tant recherché, quand il entend un bruit de pas venant du massif devant lui.

— FBI! Plus un geste ou je tire! crie-t-il le doigt sur la détente, en allumant sa lampe de poche.

Un homme se retourne, surpris. Seward reconnaît immédiatement Neumann. Aveuglé par la lumière, ce dernier s'est immobilisé conformément à l'ordre de l'agent, mais une fois l'effet de surprise estompé, il se déplace sans plus tenir compte de la menace de Seward.

*
* *

Jarvis poursuit sa pénible avancée dans les méandres du sous-bois. Soudain, elle voit un objet rouge au pied d'un arbre. Elle s'avance et découvre une chaussure rouge à talon haut. Un coup de feu résonne dans toute la forêt. Dans un réflexe, elle se tapit dans la végétation, mais elle réalise bientôt que le bruit vient de loin et qu'elle n'est pas la cible.

Elle se relève d'un bond quand un second coup de feu éclate. Comprenant qu'elle se dirigeait vers la fusillade, elle retourne en courant vers sa voiture. À bout de souffle, elle atteint le sentier principal, puis arrive enfin à sa voiture. Elle décolle dans un nuage de poussière et s'engouffre dans l'étroit passage d'à peine la largeur d'une personne, ouvrant ainsi une nouvelle voie derrière elle. Elle évite un arbre, puis un second. Elle fonce, tous phares allumés, quand un monticule surgit devant elle. Elle attrape sa ceinture de sécurité et réussit par miracle à la boucler.

Les mains crispées sur le volant, elle dirige sa roue gauche sur la butte afin d'éviter le pire. Mais à la dernière seconde, elle aperçoit un pin sur sa droite et réalise que ce sera trop juste. Elle est certaine de le happer. Elle redresse le volant et le ventre de la voiture râpe le dessus du talus dans un bruit grinçant de tôle froissée. La tête de Jarvis est projetée vers l'avant. Elle accélère pour contrer le frottement et la voiture poursuit sa course. Elle arrive enfin sur un terrain plat, s'empare du portable de Seward et compose un numéro.

— Bonjour…

— Agent spécial Jarvis du FBI ! J'ai besoin de renforts tout de suite. Agent en danger ! Agent en danger ! Je suis en pleine forêt, à quelques minutes de Washington, dans le Parc de Shenandoah. Vous trouverez aux abords de la route 622 une voiture du bureau devant le… Merde !

Un arbre apparaît droit devant elle. Elle lâche le téléphone portable qui tombe derrière son pied gauche qu'elle recule au même moment, poussant ainsi l'appareil sous son siège. Un autre arbre, encore plus gros celui-là, surgit devant ses phares. Dans une manœuvre désespérée, elle donne un coup de volant et se retrouve face au premier arbre. Elle freine, mais les pneus glissent sur l'herbe humide.

— Nooooon !

*

* *

À l'autre bout du sentier, Seward, qui vient de faire feu une seconde fois, reste prudemment aux aguets devant sa cible. Il observe quelques secondes le corps étendu de Neumann avant de s'en approcher lentement en longeant le talus. Il est en sueur et son cœur bat la chamade.

Alerté par les coups de feu, dont l'un a terminé sa course dans la porte de sa cache, le bourreau de Laura se replie dans le fond de son repaire. Il en explore tous les recoins et trouve enfin ses deux pistolets 45 nickelés, chargés à bloc. Sans prendre le temps d'enfiler une paire de chaussures, il se dirige vers la sortie en tenue d'Adam. Surgissant de la fente entre les deux pierres, il apparaît sans crier gare devant Seward en braquant ses armes.

*
* *

La voiture s'écrase contre l'arbre. Jarvis est propulsée vers l'avant, mais elle est retenue par sa ceinture de sécurité qu'elle déboucle aussitôt. Le moteur a calé. Elle tente en vain de le redémarrer. Sans plus insister, elle attrape la lampe de poche et cherche du regard le portable de Seward. Une partie de l'appareil gît à ses pieds. Elle se retourne et tâtonne pour trouver son sac à main.

Une série de trois coups de feu éclatent, cette fois nettement plus près.

*
* *

Entièrement nu, le psychopathe tire à l'aveuglette, vidant l'un de ses deux chargeurs en direction de Seward pris au dépourvu. La première balle heurte de plein fouet l'ampoule de la lampe de poche, plongeant tout le monde dans l'obscurité. La seconde atteint Seward à la cuisse gauche. Une autre pénètre dans son épaule, puis c'est au tour du bras, de l'épaule encore une fois, de la hanche… et la rafale de balles continue de siffler à ses oreilles.

*
* *

Jarvis attrape son arme à feu et s'enfonce dans les broussailles. Elle suit le sentier qui se dessine dans la lumière du seul phare de sa voiture resté intact. Elle s'en éloigne et court en suivant le timide faisceau de sa lampe qui, maintenant, éclaire davantage que le phare. Trois nouveaux coups de feu éclatent.

*
* *

À l'autre bout du sentier, Seward s'écroule, laissant échapper son arme. Le tortionnaire cesse le feu et s'approche lentement du policier gisant dans son sang.

— Hou! hou! s'écrie-t-il en riant.

Il lui assène un coup de pied dans le ventre. Constatant qu'il ne bouge plus, il essuie ses pieds nus sur sa chemise blanche, s'en servant comme d'un paillasson.

— Mais qui es-tu toi, connard? questionne-t-il devant sa proie inerte.

Ébranlé, Seward ouvre les yeux.

— FBI, murmure-t-il.

— Quoi ?... F... B... I..., imite le tireur avant de s'esclaffer. Putain de cavalerie, tu n'as même pas de monture, nargue le franc-tireur en s'écroulant de rire.

Blessé à la tête par Seward quelques minutes auparavant, Neumann, toujours cloué au sol, reprend ses esprits. Bien que passablement secoué, il réalise que le psychopathe qui se balade nu en brandissant deux pistolets ne l'a pas aperçu et que, captivé par sa salve frénétique, il n'a pas encore compris que les deux coups de feu tirés par le policier avant son entrée en scène ne lui étaient pas destinés. Neumann s'active sans perdre un instant pour profiter de ce moment d'égarement. Il tâte délicatement le sol en essayant de faire le moins de bruit possible, la tête tournée vers le psychopathe qui se trouve à un peu plus de vingt mètres. Pour le repérer, il se guide sur les deux pistolets qui brillent sous la lueur de la pleine lune, dont l'un est pointé vers la tête de Seward.

— Si jeune, conclut le bourreau en armant le chien.

L'arme toujours braquée sur le policier, il éclate à nouveau de rire. Il reprend soudainement son sérieux et s'interroge sur les premiers coups de feu. Inquiet, il se tourne en direction de Neumann sans pour autant le voir et dirige à l'aveuglette son autre arme vers lui. Neumann ramasse une pierre et la lance du mieux qu'il peut derrière son adversaire. Ce dernier tire trois fois en direction du bruit de la chute, gardant toujours l'autre pistolet pointé sur Seward.

Neumann empoigne un bâton. Sans perdre un instant, il profite du vacarme pour se relever. Il agrippe fermement le morceau de bois et fonce en ligne droite sur sa cible. Mais l'homme l'entend venir et fait feu vers lui. Neumann a tout juste le temps de se jeter sur le sol. Dans sa chute, il frappe le tueur à la cheville. Le psychopathe tire une balle au jugé et touche Neumann à la cuisse. Puis il lève son pied endolori dans les airs. Neumann s'élance de nouveau et l'atteint si violemment sur l'autre jambe qu'il en perd son bâton. Son adversaire s'écroule sur le dos et ses armes lui échappent. Neumann tente de se jeter sur lui, mais sa jambe le fait terriblement souffrir et il rate sa manœuvre. Le tireur lui décoche un coup de genou en plein sur sa blessure. Neumann se tord de douleur, laissant la voie libre à son assaillant. Ce dernier aperçoit l'une de ses armes briller à deux mètres de lui et rampe pour s'en emparer.

Seward, qui ne voit presque rien du combat, cherche à tâtons son revolver. Oubliant sa souffrance, Neumann se ressaisit. Il retrouve son bâton, l'agrippe fermement, se hisse à genoux et se prépare à frapper de nouveau. Seward tente d'attraper son arme de réserve à la cheville, mais la douleur de ses nombreuses blessures le paralyse. Pendant ce temps, le tueur met la main sur un de ses pistolets et se redresse à son tour sur ses genoux. Il braque son arme sur Neumann et arme le chien. Ce dernier, résigné, arrête son élan à moins de deux mètres du tueur et plonge son regard dans le sien. Il voit s'épanouir sur son visage un sourire de cinglé qui jubile. Malgré la menace, Neumann lève son bâton

338

au-dessus de sa tête. Sans hésiter, le tueur appuie sur la détente. Clic !

Il appuie de nouveau, mais toujours rien. Dans sa hâte, le tortionnaire a ramassé le pistolet dont il a vidé le chargeur sur Seward un peu plus tôt. Son sourire se mue en une grimace de frayeur. Il jette un coup d'œil vers sa droite et repère l'autre pistolet. Il tend la main en levant la tête vers Neumann et aperçoit le long morceau de bois rond qui se dirige droit sur son visage.

Le bâton le frappe de plein fouet sur l'oreille. Sa tête oscille vers la gauche en entraînant son corps qui s'écrase lourdement sur le sol. Bien que criblé de balles, Seward tente toujours de mettre la main sur son arme de réserve, mais il en est incapable. Neumann se relève et place ses jambes de chaque côté du tueur qui râle. Il empoigne sa tête, passe son bras libre autour de son cou et fait pivoter sa nuque d'un coup sec. Mais affaibli par ses blessures, il n'arrive pas à trouver la force nécessaire pour lui briser la nuque. Le corps mou lui glisse entre les mains et tressaille sur le sol.

— Aidez-moi ! Pitié ! implore le tortionnaire.

Neumann le traîne péniblement vers une large pierre enfoncée profondément dans la terre.

— Pitié ! Pitié !

— Que faites-vous ? s'écrie alors Seward.

Ignorant l'angoisse du policier, Neumann installe la tête du bourreau sur l'autel improvisé. Il se retourne, ramasse une lourde pierre ronde et revient vers lui. Il lève lentement la pierre au-dessus de sa tête. Sous la lueur de la lune, Seward aperçoit la scène macabre.

— Non ! hurle-t-il.

Une lumière jaillie de nulle part éclaire le dos de Neumann.

— FBI ! Plus un geste ! somme Jarvis tapie dans la noirceur.

Neumann s'empresse de larguer la lourde pierre. Sans un mot, Jarvis s'élance vers lui, s'arrête à quelques mètres derrière Seward, se met en appui sur un genou et ouvre le feu.

— Non ! Non ! Non ! Arrête, Nicole ! Arrête ! hurle Seward dont la voix est couverte par le crépitement de la fusillade.

Neumann prend la fuite en titubant.

— Simon, c'est toi ? s'exclame Jarvis, un trémolo dans la voix.

La jeune femme accourt vers son ami.

— Je croyais que c'était toi qui étais couché sur la pierre quand je t'ai entendu crier… Est-ce que ça va ? Mon Dieu, tu as été touché ! s'écrie-t-elle, horrifiée en voyant les vêtements ensanglantés de Seward. J'ai appelé du secours. Tiens bon !

Au bord des larmes, elle tente de relever sa tête pour le serrer contre elle.

— Haaaaa ! Non ! Ne me touche pas ! Ça fait très mal, mais ça va aller. Ça va aller, la rassure Seward, soulagé de sa présence. Ça fait du bien d'entendre ta voix.

Jarvis lui caresse doucement les cheveux et l'embrasse tendrement sur le front.

— Je vais le rattraper, dit-elle d'un ton vengeur en se relevant.

— Non, attends! Laisse-le partir, lui demande Seward en la retenant par le bras. Occupe-toi plutôt de lui, suggère-t-il en pointant son index en direction du tortionnaire étendu sur le roc.

Jarvis court vers l'homme en le maintenant dans sa ligne de mire. Elle aperçoit d'abord les pieds, puis ses yeux remontent le long du corps. En lieu et place de la tête, une pierre baigne dans une énorme mare de sang.

— On ne peut plus rien pour lui.

Des sirènes se font entendre au loin. Seward se met alors à rire.

— Je ne croyais pas que ce son était si beau.

— Qui était-ce? demande Jarvis en retournant vers Seward.

— Un putain de détraqué! répond-il, sur le point de s'évanouir.

— Et l'autre? Celui qui s'est enfui, demande Jarvis comme si elle connaissait la réponse.

Seward ne répond pas.

— Tu l'as vu? insiste Jarvis.

Seward attend encore un moment, puis il répond à voix basse.

— Non.

Un hurlement de terreur surgi des entrailles de la terre les interrompt.

— À l'aide!

Jarvis pointe aussitôt son arme en direction du talus d'où s'est échappé le cri de détresse.

— Aidez-moi! supplie alors Laura en pleurs, qui a fini par réussir à se dégager du ruban qui lui obstruait la bouche.

Mais la pauvre fille est toujours maintenue au mur par un poignet et une cheville. Jarvis s'avance à tâtons vers le talus. Elle pointe son arme devant elle tout en passant sa main sur la surface du monticule jusqu'à ce qu'elle rencontre le vide. Elle approche son visage de l'ouverture.

— FBI !

— Je suis ici ! Je suis ici ! Je vous aime ! Mon Dieu que je vous aime ! s'écrie Laura qui éclate en sanglots.

~ À suivre ~

Les éditions Barels
698, rue Saint-Jean, C.P. 70007
Québec, Québec G1R 6B1
CANADA
Téléphone : 418 522-3400
Télécopieur : 418 522-3400
E-mail : info@barels.ca
Site web : www.barels.ca